Paniekspinnen

Bibian Harmsen

Paniek-spinnen

Een jaar zonder einde

Uitgeverij Podium – Amsterdam

G̃ Deze uitgave kwam tot stand met medewerking
van Van Grunsven Creative Management
(www.vangrunsvencm.com)

Bij deze uitgave is een cd gevoegd, met akoestische versies
van nummers van de band Emma Peel, gezongen door
Bibian Harmsen, met Klaas ten Holt op gitaar. De opnamen
vonden plaats in april en mei 2012.

ISBN 978 90 5759 550 9

Verspreiding voor België: Elkedag Boeken, Antwerpen

www.uitgeverijpodium.nl

Voor mijn allerliefste Klaas
en Valentijn, Swip en Lulu
van wie ik zo zielsveel houd

Maandag speelden we met Emma Peel in het DeLaMar Theater. Lekker gespeeld, mooi licht, goed geluid, fijne zaal en leuk publiek; we hebben bijna alleen nieuwe nummers gedaan. Alles leek op zijn plek te vallen, de gitaarpartijen, baslijntjes, drums, koortjes, lapsteel en trombone: we zijn klaar voor het opnemen van onze derde cd.

Na de soundcheck gingen we in De Smoeshaan eten en ik maakte grapjes over de echo die ik 's ochtends had laten maken omdat ik steeds zo'n buikpijn had.

Wat een heerlijke avond was dat. Het was de laatste avond van ons vorige leven.

November 2011

Maandagochtendblues

Ik had er heel wat voor overgehad om vandaag een beetje mopperend – het weekend was alweer zo snel om – in de trein naar Utrecht te zitten om op de redactie van *Medisch Contact* te gaan vormgeven. Maar dit weekend was verschrikkelijk lang. En ik ben vandaag thuis.

We hebben hier heel wat gehuild, geknuffeld, gepraat, nog meer gehuild, en slecht geslapen. En gehuild, of had ik dat al gezegd?

Slechtnieuwsgesprek

Op een verlaten endoscopieafdeling.

De arts heet ons welkom en gaat ons voor naar een kamertje. We gaan zitten. Hij gaat zitten. Ik kan me zijn exacte woorden niet meer herinneren, ik heb ze waarschijnlijk ook niet helemaal verstaan. En maar half begrepen.

De CT-scan bevestigt de vermoedens die de echo opriep. Een zeer suspect beeld van een ruimte-innemend proces uitgaande van de pancreas. Dus. Dit heb ik niet onthouden hoor, maar nagelezen in de brief die we meekregen voor de oncoloog. De vertaling luidt: met grote waarschijnlijkheid een tumor in de alvleesklier, met uitzaaiingen naar de lever. Míjn lever. Míjn alvleesklier. Míjn pancreas.

De arts gebaart met zijn handen, zoals iemand de grootte van een vis of een schoenmaat aanduidt. Handen dicht bij elkaar, handen iets verder uit elkaar. Hij zegt dat ik jong ben en dat ze waarschijnlijk alles uit de kast zullen trekken om te rekken. Het woord 'rekken' veroorzaakt een golf van paniek in mijn lijf. Rekken, rekken, hoezo rekken? Genezen toch zeker? Bij 'rekken' doet hij zijn handen iets verder uit elkaar.

Wat bedoelt hij met dat gebaar waarbij zijn handen ver uit elkaar zijn? Hoe groot is de tijdspanne die hij aangeeft? Tien jaar? Twintig? Dertig? Klaas durft het te vragen. De arts zegt, met vele slagen om de arm, dat ze bij deze aandoening, deze groep patiënten, vaak zien dat ze het zeker een paar maanden (de handen wat dichter bij elkaar) tot een jaar (de handen wat verder uit elkaar) volhouden.

Geen dertig jaar.

De tumor is niet operabel, omdat die uitgezaaid is. Maar als de chemo aanslaat en de uitzaaiingen in de lever kleiner worden, weggaan, dan misschien toch wel.

Een levertransplantatie, opper ik. De arts schudt zijn hoofd.

Een schoonmaker opent de deur, ziet dat er nog mensen zitten, doet hem weer dicht.

De arts zegt dat ze dit ziektebeeld wekelijks zien, meestal bij oudere mensen, zelden bij zulke jonge mensen. En bij die oudere mensen kunnen ze vaak niet veel doen.

Meer valt er niet te zeggen. Er moet komende week een leverpunctie gedaan worden om te bepalen wat er precies zit, en naar aanleiding daarvan zal de behandeling worden bepaald.

We schudden handen, zeggen dag, lopen naar de deur.

In een roes lopen we naar de auto.

Thuis is vriendin J., die op de jongens heeft gepast. Lulu wordt net thuisgebracht door vriendin S. We huilen en vertellen dat het er helemaal niet goed uitziet.

Swip ligt huilend bij mij op de bank, Valentijn houdt me vast en huilt. Lulu huilt. En ik huil want ik wil helemaal niet weg bij Klaas en mijn kindertjes. We spreken af dat we gaan vechten, natuurlijk. Lulu wil weten waar de tumor zit. Ik wijs de plek aan, en ze maakt boksbewegingen. Ze gaat ertegen vechten met mij, ze zal hem wegjagen, wegtoveren.

Dat willen we allemaal, dit wegtoveren.

Wat een raar weekend was dat, het leek het langste weekend ooit. De kinderen zeiden dat het wel leek alsof het zomervakantie was geweest, zo lang duurden de afgelopen twee dagen. Korte, onrustige nachten hebben een wonderlijk effect op je gevoel voor tijd. We hebben beide ochtenden met zijn vijven in het grote bed gelegen. Zondag zijn we naar de bioscoop gegaan, naar *Kuifje*. Beetje onwerkelijk om gewoon in de bioscoop te zitten, lastig om mijn hoofd erbij te houden. Pijnlijk om iedere seconde met de kinderen te proberen te absorberen en op te slaan.

Zaterdag en zondag mailen we veel vrienden, kennissen en ouders van school om het slechte nieuws te delen, dat voelt een beetje als bezweren.

Gisteren hebben Klaas en ik erg slecht nieuws gekregen in het ziekenhuis: ik blijk alvleesklierkanker te hebben met uitzaaiingen naar mijn lever. Een zeldzaamheid op mijn leeftijd. De perspectieven zijn somber, slecht, schrikbarend. Een pluspunt is dat ik jong ben, in goede conditie en dat alles uit de kast zal worden getrokken om te rekken. Of wenselijker: te overwinnen!

Het kost moeite niet gillend mijn haar uit mijn hoofd te trekken, of mijn hoofd in ongeloof tegen de muur te slaan, en het is afschuwelijk om Klaas en de kinderen zo ontdaan en verdrietig te zien.

We hebben het aan de kinderen verteld, en hebben afgesproken dat we met zijn vijven het gevecht aangaan, maar we zijn op dit moment vooral erg uit het veld geslagen.

We zullen alle hulp hard kunnen gebruiken, vooral Klaas en de kinderen!

Veel verdrietige groeten,
Bibian en Klaas
Valentijn, Swip en Lulu

Het hele weekend worden we gebeld, gemaild, geknuffeld. Er wordt soep gebracht, eten, bloemen. Wat een lieve vrienden hebben wij!

Leverpunctie

Donderdagochtend. In de brief van het OLVG staat dat ik niet te veel mag eten voor de leverpunctie. Hm... met een 'licht ontbijt' bedoelen ze vast geen beschuitjes met een centimeter dikke laag chocopasta?

Het valt allemaal niet mee, want na het ontbijt is er alweer een volgend dilemma: wat aan te trekken naar een punctie? Na lang dubben en ge-sms (eentje tipt: 'Kort en hoerig *never hurt nobody* – misschien is de arts een jonge god') trek ik een jurkje met roosjes aan, laarsjes erbij, maar 's middags voor de punctie blijkt dat ik een ziekenhuisjasje en -broek aan moet. Maar mijn kroontje en mijn oorbellen mogen blijven. Het is ook een beetje om mezelf af te leiden: ik ben bloednerveus, en hoop dat de prikkende arts minder zenuwachtig is dan ik.

De radioloog is een jonge *aios*, geen jonge god, die vlot kauwend op zijn kauwgumpje me de hand schudt en me vertelt wat 'we' gaan doen. Hij gaat eerst met de echo kijken naar een goede plek om de punctie te doen. Hij kijkt lang en uitgebreid en gaat overleggen met zijn opleider.

Ik lig een tijdje met kloppend hart in mijn eentje te wachten. Ik neurie wat om mezelf te kalmeren, 'Till There Was You'. Bij het einde van het solootje komt de opleider ook even kijken. Ze bespreken de mogelijkheden. Die ene 'mooie vlek' links is lastig benaderbaar met de naald, dus ze opteren voor een vlek rechts, ergens achter mijn ribben.

De aios zegt met nauwelijks verholen opwinding dat hij dit nog nooit heeft gezien bij iemand van mijn leeftijd. Ik vraag me af of ik tegen hem zal zeggen dat hij dat kauwgumpje uit zijn mond moet halen. Of zal ik tegen zijn opleider zeggen dat hij dat kauwgumpje moet meenemen in de beoordeling?

De punctie doet afschuwelijk veel pijn. Ik had me voorgenomen niet te huilen (want dat helpt niet), een beetje mee te kijken (in de gaten te houden) wat ze doen en me helemaal over te geven aan de situatie en de pijn (zen zijn). De pijn was mij van tevoren verkocht als 'een onaangename pijnsensatie', maar deze pijn is zo gemeen dat ik visioenen van bevallingen heb. Ik schreeuw het uit. Alsof iemand een hete breinaald door mijn lijf steekt. De opleider suggereert doodleuk dat ik moet proberen te ontspannen. Al mompelt hij erachteraan dat dat misschien wat makkelijk gezegd is...

Met puffen – wat een goede investering toch die zwangerschapsyoga toentertijd! – kom ik langzaam weer tot mezelf. Tot overmaat van ramp is het biopt niet goed, er is geen weefsel van een uitzaaiing meegekomen en het moet nog een keer. De tweede poging gaat snel en is gelukkig nauwelijks pijnlijk.

Dan is het afgelopen, ik word weer naar buiten gereden in mijn bed. Klaas staat ongerust te wachten. Hij heeft me horen schreeuwen en was half van plan naar binnen te stormen om te zien wat ze in godsnaam aan het doen waren.

Klaas en vriendin H. lopen mee naar de zaal, waar ik vreselijk moet huilen. Van de pijn, van opluchting dat dit klaar is, en van intens verdriet, omdat ik vorige week nog gewoon Bibian was, die helemaal geen leverpunctie nodig had en heel gelukkig was met hoe alles was.

Zenuwachtig

Ik was gisteren heel zenuwachtig. Eigenlijk voel ik me al de hele week, sinds we het nieuws hebben gehoord, nerveus. Het is een combinatie van extreme plankenkoorts, het gevoel alsof je voor de derde keer je rijexamen moet doen en de schrik die je voelt als de deur achter je in het slot valt en je je realiseert dat je sleutels nog binnen liggen.

Alle lieve mail, post, cadeautjes, sms'jes, bloemen en hulp steunen ons enorm. Ik ben echt ontzettend blij en ontroerd door alle lieve reacties. Wij alle vijf. Of, nou ja, ik weet niet helemaal of de kindertjes ook ontroerd zijn, die snappen geloof ik niet zo goed waarom ik steeds moet huilen als er post komt en ik al die lieve brieven lees.

Ondertussen gaan we hier van paniekaanval naar huilbui en van praktische gesprekken naar alledaagse zaken als de was opvouwen. We proberen zo veel mogelijk te doen wat we deden, maar dat lukt niet de hele tijd, want alles is anders. Donderdagmiddag was de leverpunctie, maar 's ochtends hadden we een gesprek op een middelbare school voor Valentijn, waar alles even bijna gewoon leek.

Vrijdagmiddag hebben we in het AMC een gesprek met een oncoloog. Hij belde dinsdag en zei dat de uitslag van de punctie er weliswaar nog niet zal zijn, maar dan kunnen we alvast, zoals hij zei, 'diverse scenario's' bespreken. Ik wil helemaal geen 'diverse scenario's' bespreken. Ik wil een Hollywoodeinde, met schmierende strijkers en een feestelijke tafel waar ik met mijn gezinnetje en alle lieve mensen die ik ken aan zit, en dat we het glas heffen en allemaal lachen en blij zijn. Kan mij het schelen dat het dan een B-film is!

Het gesprek was moeilijk. Er kan nog niets definitiefs gezegd worden omdat de uitslag van het biopt er nog niet is. En 'the tissue is the issue' verzekerde iemand bij *Medisch Con-*

tact mij van de week nog. Pas als het weefsel is bekeken, kan worden vastgesteld welke vorm van kanker het is, en waar de tumor en de uitzaaiingen vandaan komen. Het kan verdwaalde darmkanker zijn, dat zou iets gunstiger zijn.

De oncoloog praat en vertelt over mogelijkheden en soorten kanker. Hij laat het woord 'overleving' vallen en mijn hart maakt een sprongetje. Maar het blijkt over andere soorten, andere mensen, andere levens te gaan. Zoals het zich laat aanzien heb ik pancreaskanker met uitzaaiingen en in dat geval is de kans op overleving niet klein, maar domweg nul. Daar moet ik wel even van slikken.

Verdere vooruitzichten: ernstige vermoeidheid en pijn.

Nul. o. Nihil.

Ja, nul. Daar moet hij duidelijk over zijn. Genezen, dat zou echt een wonder zijn.

We moeten dus de uitslag van het biopt afwachten en hopen dat het de minder agressieve variant is of nog beter, dat het verdwaalde darmkanker is, wat veel beter te behandelen en te genezen – hart maakt weer een sprongetje – is.

Nooit gedacht dat ik nog eens zou hopen dat ik darmkanker heb.

Sinterklaasintocht

Iedereen denkt na over zijn dood, liefst als die nog ver weg is. Tenminste, ik denk dat iedereen dat soms doet. Ik heb in ieder geval weleens in bed in het donker liggen nadenken, mijmeren bijna, over mijn begrafenis. Welke muziek, wat voor bloemen, wie er allemaal zouden huilen. Dat was natuurlijk allemaal heel droevig en verdrietig, maar het had ook iets troostends om te weten dat het nog helemaal niet aan de orde was.

Het is een beetje anders als het concreet wordt. Of beter

gezegd: het is compleet anders. Vanochtend lag ik met Klaas in bed, en zoals we ruim twaalfenhalf jaar geleden een beetje giechelig en onwennig over babynamen lagen te praten – want we konden ons niet voorstellen dat er in mijn buik een baby groeide en dat we écht een kind zouden krijgen –, lagen we nu, minstens zo onwennig maar aanzienlijk minder giechelig, opeens te praten over mijn begrafenis.

Of wil ik misschien gecremeerd worden? Is dat milieuvriendelijker of juist niet? Begraven heeft wel iets moois, een symbolisch ritueel. Het lijkt me zo mooi als iedereen iets persoonlijks in het graf gooit, of een schepje aarde, of een roos. Of is dat te dramatisch?

En waar doe je zoiets, een begrafenis? Ja, op een begraafplaats, maar wat is een mooie plek? En moet je rekening houden met de logistieke kwesties, zoals dat mensen makkelijk kunnen komen? Wat te doen na afloop? Lekkere hapjes (tapas!), drank, muziek?

Het is zo dubbel. Aan de ene kant bemoei ik me overal graag en veel mee, dus zeker ook met mijn eigen uitvaart, maar aan de andere kant: het is mijn feestje, en ik ben er niet eens echt bij. Misschien, hopelijk, liefst duurt het nog járen voor het echt zover is...

Anyway, het hakte er nogal in, het gesprek. Ik heb stampvoetend van woede en verdriet Valentijn geholpen die voor iedereen eieren wilde bakken, maar ze bleven aan de pan plakken en alle dooiers gingen stuk, en ik heb huilend mijn boterham gegeten. Ik dacht even dat ik niet meer zou kunnen stoppen met huilen, tot de telefoon ging: vriend E. met de vraag of Lulu mee wilde op hun boot naar de Sintocht (wat haat ik dit soort woordgrapjes!) en ik dacht: komaan, ik wil ook mee! Misschien is het wel de laatste keer. We mochten allemaal mee (niemand durft me nu natuurlijk iets te weigeren) en met zijn vijven zijn we meegegaan op het bootje, en met kapitein E., vriendin P. en een handjevol kinderen op volle kracht naar de Amstel gevaren. De Sint was jammer genoeg al voorbijgestoomd dus we hebben hem niet gezien.

Gelukkig was het heerlijk zonnig en aangenaam koud en hadden we pepernoten en chocoladetaart. Het was de mooiste Sintocht ooit, al was Sinterklaas nergens te bekennen.

De uitslag

Mensen zeggen steeds maar dat ze me zo moedig en dapper vinden. Eerlijk gezegd ben ik helemaal niet moedig en dapper: als we naar bed gaan ben ik als de dood dat Klaas eerder in slaap valt en dat ik dan alleen in het donker wakker moet liggen. Het is alsof ik naar een enge film moet kijken die ik niet kan stopzetten en er niemand is om mijn hand vast te houden.

Ik por Klaas in zijn zij – 'Je slaapt al hè? Ik wil nog iets zeggen, word nog eens wakker' –, maar op hem hebben de slaappillen overduidelijk een beter effect dan op mij. Hij slaapt. En ik nog niet. Paniek komt als een grote golf over ons bed aangerold.

Ik ben echt geen ochtendmens, maar om half zes schrik ik wakker en dat was het dan voor de nacht. Klaas slaapt nog. Even bij alle kindjes kijken dan, of ze nog lekker toegedekt liggen. Gelukkig: Swip is wakker en hij vindt het wel gezellig als ik even bij hem kom liggen kletsen. We doezelen nog een beetje, en dan kan de dag beginnen.

Mijn gedachten en gemoed schieten alle kanten op. Ik voel me niet ziek, alleen vreselijk aangeslagen en doodmoe. Ik zie er niet ziek uit, maar heb opeens een zorgwekkend labeltje opgeplakt gekregen.

En dromen over de toekomst heeft opeens iets pathetisch. Op het programma van vandaag:

1 langs de huisarts voor zwaardere slaappillen
2 meer waterproof mascara kopen
3 op internet informatie zoeken over alvleesklierkanker
4 plannen maken voor filmpjes voor de kinderen

Slaappillen zijn binnen, mascara moet nog, en dat is wel nodig want anders zie ik eruit als een verlepte gothic. Informatie op internet, grote griebels, ik krijg buikpijn van alles wat ik vind. Een jonge vrouw die binnen vier maanden overleden is. Te verwachten pijn en hoe die in welke mate te bestrijden.

Ik vond een vereniging voor alvleesklierpatiënten. Wel, dat ben ik nu: een patiënt, dus ik heb me aangemeld als lid. Ik hoop nog jaren contributie te mogen betalen. Ik ben benieuwd of je een welkomstgeschenk krijgt. Een sleutelhanger met een pancreas, of een boekje *100 dagjes uit: van sint pancreas tot de eilandjes van Langerhans*. En geloof het of niet, ze hebben een tijdschrift: *Pancreatief*. Ugh! Ik zei het al: ik haat dit soort woordgrapjes. Tijd voor vers bloed in de redactie!

Voor specifiekere info moeten we eerst op de uitslag van het biopt wachten, dan kunnen we gerichter gaan zoeken en navragen bij wie we moeten zijn. (Feitelijk moet ik natuurlijk schrijven 'bij wie ik moet zijn', maar het is minder eng als ik doe alsof wíj daar heen moeten.)

Laatste punt, de filmpjes voor de kinderen en Klaas: woensdag eerste afspraak met *Medisch Contact*-collega W. om te beginnen met filmen. Misschien een brief voorlezen, wat dagelijkse dingetjes filmen, misschien iets zingen? Zal ik de kinderen adviezen meegeven, of vooral herinneringen? Ach, wat akelig om daaraan te denken terwijl Lulu nu gezellig naast me zit te tekenen voor Sinterklaas.

De telefoon gaat. De uitslag is er. Het is adenocarcinoom, een kankertumor die ontstaat in klierweefsel. De minst favoriete optie uit ons lijstje. Er worden nog kleuringen gedaan voor specificaties. Valentijn komt woedend binnen tijdens dit gesprek, omdat Lulu niet heeft doorgetrokken. We kunnen morgen om vier uur 's middags langskomen bij de oncoloog voor een gesprek over behandelingen. Hoe vaak kan een hart breken?

Paniekspinnen

Hoe diep is de put waarin ik aan het vallen ben? Voor mijn gevoel val ik al dagen. Telkens als ik neerplof en denk dat ik op de bodem lig, blijk ik slechts de rand te hebben geraakt en val ik nog dieper. Maar nu moet ik toch op de bodem van de put zijn. En vanaf hier gaan we proberen omhoog te klimmen.

Vanmiddag bij de oncoloog hebben we spijkers met koppen geslagen. We hebben eerst samen de CT-scans bekeken – een soort lugubere vakantiefoto's – met alle vlekjes en plekjes. De kleuringen van het lab zijn ook terug en bevestigen dat het alvleesklierkanker is, met verhoogde CR7, 20, TTF.

Het plan: volgende week beginnen we met de chemokuur, een stevige Folfirinox-cocktail. Twee dagen aan een infuus, en dat iedere twee weken. Om te zorgen dat ik niet steeds twee dagen in het ziekenhuis moet blijven, krijg ik een port-o-cath, een ingebouwd apparaatje waarin de cocktail gegoten kan worden. Ik stel me een soort reservoir voor, een tankje. Dan kan ik het ziekenhuis in rijden en roepen: 'Gooit u hem maar vol, dan kan ik weer naar huis.'

De eerste keer chemo is al zo snel dat de port-o-cath nog niet geplaatst is, dus dan moet ik wel twee dagen blijven. Potentiële bijwerkingen: misselijkheid, diarree en neurotoxicologische verschijnselen als tintelende vingers en extreme gevoeligheid voor kou. Geweldig, met de winter voor de deur. En, o ja, één bijwerking is zeker: haaruitval.

Ik word kaal.

Ik kan mijn afspraak voor het ontharen van mijn benen dus cancellen, da's dan wel weer mooi, maar pfff... een kaal hoofd. Ik denk dat ik mijn haar afknip voordat het gaat uitvallen, dat ik het heft in eigen hand neem. Misschien ga ik wel armbandjes van mijn haar vlechten en voor een goed doel verkopen.

Kaal.

Waar moet ik mijn kroontje dan laten? Dat zit vast heel akelig zonder haar. En koud zonder haar! Zou er iemand zijn die voor mij een mutsje wil breien met een kroontje in reliëf erin?

Schrijven helpt me om dingen te ordenen en van een afstandje te bezien. Het is gewoon te veel om écht te bevatten, dus een beetje distantie, een beetje humor houdt het draaglijk voor me.

Schrijven is rustgevend, net als zingen. Het klinkt waarschijnlijk idioot, maar ik loop de hele dag te zingen. Ik kan geen muziek draaien, want daar krijg ik paniekaanvallen van; naar muziek luisteren is veel te direct, te dichtbij – maar zelf zingen gaat prima.

Ik heb weleens gehoord dat katten spinnen als ze tevreden zijn, maar ook als ze heel bang zijn: paniekspinnen. Ik doe aan paniekzingen en -schrijven. Anders zou ik gek worden van angst en verdriet. Want man, ik ben echt zo godvergeten, ontzettend verschrikkelijk verdrietig; het is een wonder dat mijn hart het niet begeeft.

Maar vanaf hier klimmen we weer omhoog.

Dat kon er ook nog wel bij: ongesteld én een migraineaanval. We kijken niet op een onsje meer of minder. Desondanks heb ik vanochtend met collega W. een begin gemaakt met de filmpjes voor het nageslacht. Dat was moeilijk. Ik had half in mijn hoofd om de brieven die ik voor de kinderen aan het schrijven ben, voor te lezen. Maar alleen al bij de gedachte om sommige stukken hardop te lezen, moest ik huilen.

Ik heb over mijn oorbellencollectie verteld en over mijn kookboeken en kookschriftje. Een goede manier om terug te spoelen in de tijd, en anekdotes aan voorwerpen op te hangen. Over het eerste paar oorbellen – hangertjes met lapis lazuli – dat ik van Klaas heb gekregen, een eeuwigheid geleden in café De Pels. Over gerechten die we hebben gegeten op verjaardagsfeestjes, lievelingsgerechten van de kinderen of wat we hebben gegeten tijdens het kamperen.

Toen was het wel een beetje op.

Ik heb op de bank liggen huilen en een uurtje geslapen. Heerlijk, zo'n hazenslaapje met een fijn pilletje.

Vandaag weer veel lieve post en mail. Ook tips over wat te doen met mijn haar als ik het heb afgeknipt: haarwens.nl. Daar maken ze pruiken van je haar voor kale kinderen. Dat is mooi. Dat is goed. Maar eerlijk gezegd moet ik bij het zien van de schaar al huilen. Er is ook niet veel nodig om me aan het huilen te krijgen nu: een schaar, een foto, de lucht, een kinderhand, een stem, een kaartje, een mailtje, een woord, het avondeten, de lamp, de tafel, *anything goes*.

Swip hoorde over de muts-brei-plannen van mijn vriendinnen en is ook heel dapper begonnen met breien. Bij iedere nieuwe pen bleek hij echter vier steken meer te hebben dan op de heenweg. Ik heb geen kaas gegeten van breien, dus aan mijn hulp had hij niet veel. Het is nu een heel klein, niet afgehecht scheef sjaaltje. Heel lief.

Na het brei-debacle hebben Swip en ik op de bank naar *Be Kind Rewind* liggen kijken. De film was bij vlagen heel geestig en we hebben vreselijk gelachen, maar het was vooral heerlijk om met Swip tegen me aan onder de slaapzak te liggen.

Het naar bed brengen van de kindertjes was al niet het makkelijkste onderdeel van de opvoeding, maar nu is het bijna onmogelijk. Na het voorlezen wil Lulu niet dat ik wegga. Ze wil nog een kusje. Nog een droom in haar oor geblazen. Nog een kusje.

Ze vraagt of ik weet hoeveel keer ze vandaag gehuild heeft op school.

Nee, dat weet ik niet.

Ze heeft drie keer gehuild.

Maar ze heeft nog veel meer tranen, zegt ze, ze kan nog meer huilen als dat moet.

Het is goed om te huilen als je nog tranen hebt, anders kun je buikpijn krijgen, zeg ik.

Ja, zegt ze. Maar het kan ook hier pijn doen, en ze wijst op haar keel.

Heb jij daar pijn?

Ze knikt en zegt dat ze steeds het gevoel heeft dat ze eigenlijk water moet drinken, dat het een beetje droog voelt. Ze omschrijft precies het gevoel dat ik al twee weken heb: een droge, dichtgeknepen keel.

Ik vraag of ze tegen me aan wil liggen, een beetje tegen me aan huilen, en dat wil ze. Samen in het grote bed.

Be Kind Rewind.

De schreeuw

Afgelopen zaterdag zijn we met de jongens naar het strand gereden om tegen de golven te schreeuwen. Het was alleen heel druk op het strand, dus om niet als volslagen idioten over te komen, besloten we om in plaats van te gillen maar warme chocomelk op het terras bij Parnassia in Bloemendaal te gaan drinken en een beetje naar de branding te staren.

Maandag, op weg naar huis van het AMC, na het gesprek met de oncoloog, hebben Klaas en ik een nieuwe schreeuwpoging gedaan. Op de snelweg, raampjes open en naar het weiland schreeuwen. Het leek nergens naar. Liza Minnelli in *Cabaret* deed dat met veel meer overtuiging. Schreeuwen is een kunst. Maar ik wist het zeker: er zit sinds twee weken een heel boze schreeuw in mij.

Vandaag de hele dag een vervelende, brandende buikpijn. Zitten is ongemakkelijk, liggen is naar. Een pijnstiller werkt niet echt en ik word er bijzonder prikkelbaar van. Een lichtpuntje: er kwam een postpakketje met een heleboel noga en mandarijntjes.

Vanmiddag hebben we kennisgemaakt met 'onze' oncologisch verpleegkundige. Een leuk mens. Zo iemand met wie je op een feestje aan de praat raakt en het gevoel hebt dat je haar al jaren kent. Ze heeft ons uitgebreid verteld over de chemokuur, de mogelijke bijwerkingen, de haaruitval. Zodra ze daarover begon, moest ik weer huilen. Het verlies van mijn haar lijkt wel het enige van deze hele situatie waar ik me concreet iets bij kan voorstellen, en daar laat ik al mijn verdriet op los. Ze zei dat ik niet overhaast met de schaar in de weer moest; eerst maar even aankijken hoe erg het wordt met die haaruitval.

Het chemoschema met de port-a-cath is aanzienlijk ingewikkelder dan 'Gooit u hem maar vol, dan kan ik weer naar huis': elke twee weken een hele dag in het ziekenhuis, een uur of zes aan het infuus. Daarná mag ik naar huis.

Er moest een longfoto gemaakt worden en daarna bloed geprikt. In de kamer waar het bloed geprikt werd lag een vrouw aan een infuus die – zo begreep ik uit het gesprek dat ze had met de verpleegkundige – net een pruik had. Ze huilde niet. Ze vertelde het gewoon. Niet iedereen doet blijkbaar zo hysterisch over zijn haar.

Toen we weer thuis waren, hadden de jongens een aanvaring over iets onbenulligs. Klaas probeerde boos in te grijpen. Lulu bleef maar zeggen dat ze het *Sinterklaasjournaal* wilde zien. Swip begon woedend te schreeuwen en op zijn kamer met van alles te gooien. En toen kwam-ie: de schreeuw die op het strand niet kon, de schreeuw die op de snelweg niet lukte. Heel diep vanuit mijn tenen, met volume, met intense kracht, met volle Liza-Minnelli-overtuiging; een oorverdovend NEEE! IK WIL HET NIET!

En die schreeuw vatte eigenlijk alle gedachten, gevoelens en angsten van de afgelopen twee weken in één lange adem samen.

Muizenissen

Ik wilde eigenlijk een grappig stuk schrijven. Over een artikel uit de NRC dat iemand me heeft toegestuurd, waarin staat hoe moeilijk pancreaskanker te bestrijden is omdat in de tumor stamcellen schuilen die ongevoelig zijn voor gangbare behandelingen (tot zover nog niets grappigs). En dat onderzoekers in Madrid nu iets hebben gevonden om die stamcellen aan te pakken, maar dat ze nog in het stadium van onderzoek met muizen zijn, maar dat het wel heel veelbelovend is. En dan wilde ik schrijven dat ik overwoog om bij de feestwinkel een muizenkostuum te kopen (volgens Swip hebben ze behalve heel toffe nepbloedcapsules ook goede muizenpakken bij Witbaards Feestartikelen) en verkleed als muis naar Spanje af te reizen om me aan te melden als proefmuis voor dat baanbrekende onderzoek (hahaha). Maar in plaats daarvan schreef ik dat ik dacht aan de fysio bij wie ik vanochtend met mijn hoofd door het gat van de massagetafel lag en dat de tranen onder mij op de grond druppelden.

En ik schreef dat ik daarna Lulu en Swip van school heb gehaald omdat ze naar de huisarts moesten (respectievelijk buikpijn en eczeem). Swips klas was net aan het buiten spelen toen ik kwam, en de kindertjes kwamen allemaal vragen hoe het nou met me ging. Ik zei dat ik het hart dat ze met hun groep gemaakt hadden erg mooi en lief vond. (Ze hadden allemaal een briefje geschreven en op een heel groot rood hart geplakt. Of ik wel alle briefjes had gelezen. Ja, ik had alle briefjes gelezen.)

Ik lees alle briefjes, kaarten en mailtjes die ik krijg. Ik slurp de woorden op en probeer alle kracht uit ze te zuigen.

Een zilveren klavertjevier, een kristallen engel, een steen uit de Himalaya en een gelukspoppetje. Die heb ik vandaag gekregen, en ik heb ze in mijn kleine Roemeense buideltje gedaan, waarin ook Lulu's tovermutsje zit. Een klein kaboutermutsje waarmee je volgens Lulu 'tranen kunt blij maken'. Ze heeft het bij een flesje vruchtensap gekregen en aan mij gegeven. Ze heeft er ook een aan Klaas gegeven. Inmiddels loopt een aantal vriendinnen ook met een tovermutsje rond. Er worden links en rechts kaarsjes gebrand. Over de hele wereld wordt gemaild en gebeld door bevriende artsen naar andere artsen.

Een vriendin opperde om met mij naar de kapper te gaan en ook haar haar af te knippen. We kregen twee volle manden met cadeaus van *Medisch Contact* en hadden hier een soort pakjesavond. Iemand schreef me dat ze elke avond al haar oerkracht naar me stuurt als ze naar haar slapende kindjes kijkt. We krijgen elke dag lieve sms'jes en heerlijk eten.

En ik wou dat ik al die energie, al die positieve gedachten echt kon voelen, als een bal in mijn hand waarin ik kan knijpen als ik bang ben.

Kom op Bibian! Ben je nou een man of een muis?!

Till There Was You

Het blijft me zwaar vallen, omgaan met de paniek en de plotselinge huilbuien. Míjn huilbuien bedoel ik. Het is heel naar om steeds door je eigen huilbuien overvallen te worden. Het is al vervelend genoeg als iemand anders onverwachts gaat huilen en je je geen raad weet met de situatie – meestal ga ik spontaan meehuilen –, maar geloof me, het is bijzonder onaangenaam als je jezelf steeds met huilbuien overvalt.

Ik bracht Lulu naar een verjaardagsfeestje en had me voorgenomen niet te gaan huilen tussen al die uitgelaten zesjarigen. Het ging best goed, maar toen kreeg ik appelflappen die iemand speciaal voor me had gebakken en ging het helemaal mis. Snel op de fiets en in een mist van tranen naar huis geracet.

Lulu ophalen daarentegen ging heel goed en ik heb vrolijk kletsend met een glas wijn (ja! mocht van de dokter!) onderwerpen als pannenkoeken, valpartijen van koprolrek en de dood besproken met een van de andere moeders. In één moeite door. Hoeveel pannenkoeken eten die van jou nou? O vijf, ja, die van mij lusten er ook wel pap van. Gaat het weer goed met haar kin na die val? En hoe lang heb jij nog te leven?

Hoe gaan andere mensen hiermee om? Ervaringsdeskundigen op dit gebied lijken dun gezaaid, niet in de laatste plaats omdat ze waarschijnlijk zijn overleden, denk ik dan. Thuis kreeg ik zin om met dingen te gooien, maar ik kon niets verzinnen wat niet ook nog een enorme troep zou geven na afloop. Morgen misschien een stevig rondje glasbak.

Een panieklied dan maar, een slaaplied dat Swip graag hoort, een lied om alles weg te zingen, om bij in slaap te vallen en alles even te vergeten.

Carpe diem

Vandaag is het Alvleesklierkanker Awareness Day. Wat mij betreft is het Alvleesklierkanker Awareness Maand, ik ben me zeer bewust van het bestaan van alvleesklierkanker.

Er was vanmiddag een concert in de Engelse Kerk op het Begijnhofje in Amsterdam, georganiseerd door de Lisa Waller Hayes Foundation. Een club met betrokken mensen die proberen alvleesklierkanker eh... 'op de kaart te zetten' klinkt een beetje misplaatst. Het zijn mensen die aandacht voor deze vorm van kanker willen. Daarbij willen ze informatie, hoop en inspiratie aan mensen met deze ziekte geven.

Het concert was een aanslag op het geduld van de kinderen, maar bevriende moeders hadden afleidend materiaal meegenomen en dus werd er tijdens Beethoven, Khachaturian en Sjostakovitsj driftig gevingerhaakt, vogeltjes gevouwen, memory gespeeld en ge-cut-the-roped.

Aan het eind van de middag was er een paarselampjeszee, een lampjesoptocht – net als in 58 andere steden over de hele wereld. Dat vonden de kinderen geweldig, paarse *glowsticks* waar je ook heel goed Star Wars mee kunt naspelen.

Het was gek om daar te zijn. Liever was ik daar niet geweest natuurlijk, maar het was goed om met de mensen van deze stichting te spreken en te horen hoe belangrijk hoop is als je zelf alvleesklierkanker hebt. Check. Een van de sprekers zei dat het zo vreselijk deprimerend is als mensen meewarig naar je kijken omdat ze de schrikbarende statistieken rond alvleesklierkanker op Google hebben gezien. Check. Dat het gekmakend is dat artsen zakelijk spreken van 'levensverlenging' alsof het over een voetbalwedstrijd gaat.

Ik heb een heel stuk van het praatje gemist omdat ik natuurlijk weer moest huilen bij de gedachte aan mijn afschuwelijk donkere toekomst. Het praatje eindigde met het verhaal over een vriendin van de spreekster die er vandaag graag bij had willen zijn, maar er helaas niet was... brok in mijn keel, nieuwe tranen welden op... omdat ze was golfen in Spanje!

Ja, dat wil ik ook! Golfen in Spanje! Vast hartstikke saai, golfen, maar ik kan me even niets leukers voorstellen dan golfen in Spanje. Olé.

De paarselampjeszee was mooi, vooral omdat er zoveel vrienden waren, voor mij, voor Klaas. Dat maakt me blij en droevig tegelijk, zoveel liefde. Op de borrel na afloop kreeg ik een tas vol cadeaus, en iemand die mij een cadeau in mijn handen drukte zei dat ik het allemaal maar moet beschouwen als één groot verjaardagsfeest.

Ik zit nu op de bank met mijn nieuwe pinguïnkruik (geweldig! want ik heb steeds koude voeten) en met mijn nieuwe prachtige kasjmieren sjaal. Droevig gelukkig.

Ik moet slingers gaan ophangen – het is feest! Carpe diem!

South Park

Het is toch te bizar voor woorden dat ik uitgerekend vlak voor de Alvleesklierkanker Awareness Day te horen krijg dat ik pancreaskanker heb. Ik had beter een maand eerder naar de dokter kunnen gaan, toen het Prostaatkanker Awareness Day (echt!) was...

Vrijdag kwamen we erachter dat de chemokuur is uitgesteld. Vandaag had ik dus opeens een soort vrije dag. Even bellen naar het ziekenhuis wanneer we wel beginnen: aanstaande vrijdag, en misschien al donderdag als er een gaatje komt. In principe betekent het dat ik vrijdag het ziekenhuis in ga en zondag weer thuiskom. Dat is jammer, omdat we zaterdag Valentijns twaalfde verjaardag (klein) wilden vieren. Hij verheugt zich daar enorm op – kijken hoe we dat oplossen. Een speurtocht in het AMC misschien? (Makkelijk zat, Klaas en ik verdwalen iedere keer in het gebouw.) Tot vrijdag een beetje rustig aan doen en afleiding zoeken. God, ik vind het doodeng, geen idee wat me te wachten staat.

Afleiding dus. Bijvoorbeeld de *South Park*-dvd die ik cadeau kreeg van een van mijn lieve collega's van *Medisch Contact*. Dat leek me gezellig om met de kinderen te kijken in bed. Ze waren helemaal opgetogen dat we in het grote bed een film gingen kijken (op het 13" macbookje weliswaar), maar ze waren vooral opgewonden omdat Valentijn op de hoes las dat het een 16+-film was. 'Weet je dat wel, mama?' riep hij met grote ogen en een brede grijns naar Swip, die zo mogelijk nog breder teruggrijnsde. Maar toen had ik al beloofd dat we gingen kijken en ach... een tekenfilm, het leek me pedagogisch wel verantwoord, met mij erbij. Dacht ik. (Ter verdediging: ik kende *South Park* eigenlijk niet voor ik deze dvd kreeg...)

We lagen in bed en de dvd ging aan. Al snel lagen de jongens gierend van het lachen naast me in bed. Lulu, aan de andere kant, kon het allemaal niet volgen. Ze kan al hartstikke goed lezen, maar op dat kleine schermpje kwamen in razend tempo wel erg veel onbekende, lange woorden voorbij in de ondertiteling. Of ik alsjeblieft de ondertiteling wilde voorlezen.

Hm. Een pedagogische spagaat.

Want het voorlezen van 'hollikkende oomneuker' of 'pijpende reetroeier' leek me geen goed idee, maar het losjes vertalen naar iets wat beter aansluit bij de belevingswereld van 6+ ('Jij lelijke snotterige billenknijper'), was het ook niet. Lulu geloofde niks van mijn vertaling, want waarom zouden haar broertjes dáár nou zo hysterisch om lachen? Ze haakte snel af en ging beneden een tekening maken voor Sinterklaas.

Op de dvd ging het onverminderd door met het over de top vuilbekken. Af en toe probeerden de jongens en ik iets mee te roepen of na te zeggen en lachten we om de absurditeit van de scheldwoorden. Gek genoeg moest ik opeens aan Shakespeare denken, aan Macbeth. Als Macduff hoort dat zijn vrouw en kinderen zijn vermoord, versteent hij bijna van verdriet. Hij wordt geadviseerd: '*Give sorrow words. The grief that does not speak whispers the o'er-fraught heart, and bids it break.*'

Benoem je verdriet, je angst en je woede en dan kun je het aan. Shakespeare had ongetwijfeld niet voor ogen dat verdriet verwoord zou worden als 'pikkenlikkende biggenneukende alvleesklierkanker', maar het hielp wel eventjes het beestje een naam te geven.

Super Mario

Klaas en ik fluisteren er zachtjes over in bed. Valentijn slaapt er al dagen slecht van. Het houdt de gemoederen hier in huis flink bezig: krijgt Valentijn een Wii met Super Mario-spel voor zijn verjaardag of niet?

Zijn feestje zaterdag is uitgesteld, want ik ben dan in het ziekenhuis en Valentijn wil het niet zonder mij vieren (smeltend moederhart). De chemo is een dag vervroegd; we beginnen nu op donderdag. Een rare mengeling van opwinding, opluchting en angst heeft zich van mij meester gemaakt. En ook paniek.

Vanochtend eindeloos staan kletsen met moeders op het schoolplein, koffiegedronken met weer andere moeders en samen met Klaas twee uur bij mijn psycholoog gezeten. Er valt een hoop te bespreken en al dat praten levert ook nog zinnige adviezen en goede raad op. Naamstickertjes zijn handig om in mutsen en sjaals te plakken zodat we alles wat de kinderen kwijtraken op school weer kunnen terugvinden. Paradontax is goed voor extra verzorging van je tandvlees tijdens de chemo. We moeten zorgen dat alle drie de kinderen iemand hebben met wie ze kunnen praten. Ik moet lipbalsem kopen omdat je lippen uitdrogen als je chemo krijgt.

Ik maak me druk over allerlei zaken voor de chemo en aangezien de oncologische verpleegkundige M. heeft gezegd dat ik altijd mag bellen met vragen, bel ik haar vandaag drie keer.

Is er in het AMC wifi voor patiënten? Wordt de donderdag mijn vaste dag voor de chemo? Moet ik de hele dag in bed liggen als ik twee dagen in het ziekenhuis aan het infuus moet? Wat doe je aan bij een chemo? Moet ik in pyjama? Of ga ik in een kek tijgerpakje? Is het een goed idee om de kinderen donderdag mee te nemen zodat ze zien waar ik ben, of is het beter als ze in de loop van de dag op bezoek komen? Wanneer is het bezoekuur? Waar moet ik me melden? Kom jij ook nog even langs? En de oncoloog?

Zullen we dit jaar maar een taart bestellen in plaats van zelf bakken voor Valentijns verjaardag maandag? Hoe kom ik erachter wat voor een twaalfjarige een leuk boek met Griekse mythen is? Als ik vandaag via internet een Super Mario-T-shirt bestel, komt het dan nog wel op tijd binnen?

M. wist op de meeste vragen antwoord. Ja! Er is wifi! Nee, ik hoef niet te blijven liggen, maar moet wel op de afdeling blijven. Ik was ook niet van plan om wilde dingen te gaan doen, het is meer het idee dat ik de hele tijd móét liggen. (Dat heeft vast iets met mijn autoriteitsprobleem te maken, want als ik mág liggen, doe ik dat gerust de hele dag.) En ik kan de kinderen de eerste keer beter niet meenemen omdat ik zelf misschien ook wel een beetje zenuwachtig zal zijn. Zenuwachtig? Welnee! Bloednerveus misschien, verlamd als een konijn midden op de A27 (ter hoogte van het reclamebord van een openhaardfabrikant: 'Bent u al behaard?'), tintelend en bijna high van ellende, maar zenuwachtig... nee, dat dekt de lading echt helemaal niet.

Sommige dingen zal ik zelf moeten ontdekken: hoe het voelt, zo'n chemo; hoe ik daarop reageren zal; en of dat gele Super Mario-T-shirt nog voor maandag bezorgd wordt.

Helter Skelter

Onder de douche vanochtend ging het al meteen mis. Ik ging mijn haar wassen en moest onbedaarlijk huilen bij het idee dat dat straks niet meer kan. Een lied dan maar! Zingen, dat helpt. *All my troubles seemed so far away.*

Ik heb daarna de hele ochtend geprobeerd te doen of er niets is. *You tell me that you've got everything you want and your bird can sing.* Half uurtje op de hometrainer, daarna met Klaas zijn favoriete Beatles-liedje gezongen, een basleerling gehad en daarna naar school gefietst om de kindertjes op te halen.

I'm so tired, I haven't slept a wink.

Gek om weer een bas in mijn handen te hebben. We hebben het afgelopen half jaar zoveel gespeeld en gerepeteerd voor onze derde cd en nu opeens had ik al bijna drie weken mijn bas niet meer aangeraakt. Maar we hebben besloten dat we gaan opnemen.

Ik ben doodmoe, mijn hoofd bonkt, mijn rug doet pijn, mijn buik brandt.

Keeping an eye on the world going by my window.

Het binnen zitten vliegt me aan, ik wil naar buiten, maar ben ook te moe.

Het uitje wordt een wandeling naar de Etos voor de lipbalsem, de Paradontax en condooms. Je weet tenslotte maar nooit. Als je chemo krijgt, wordt het afgeraden onveilige seks te hebben. Je kunt je partner chemisch besmetten en ze weten niet precies wat de risico's daarvan zijn (los uiteraard van zwanger worden en een geslachtsziekte oplopen), want daar zijn geen uitgebreide onderzoeken naar gedaan. Nou ja, dat zeiden ze. Misschien houden ze de resultaten een beetje stil, om verder onderzoek niet uit te sluiten.

Wist je trouwens dat Etos een afkorting is van Eendracht, Toewijding, Overleg en Samenwerking?

Daarna op zoek naar antioxidantenpillen en multivitamines om mijn weerstand te verhogen. Het meisje in De Tuinen was heel behulpzaam en positief, en gaf een aantal tips voor extra ondersteuning zoals *cat's claw*, een kruid dat indianen al eeuwen gebruiken om het immuunsysteem te stimuleren, en orthomoleculaire therapie. Dat resulteerde op weg naar huis in een onverkwikkelijke ruzie met Klaas, die woedend was omdat ze had gezegd dat artsen niet openstaan voor alternatieve oplossingen en ik eigenlijk vooral had gehoord dat ze allemaal opbeurende dingen had gezegd ('Zet hem op!' 'Je kunt het, hoor!').

When I get to the bottom I go back to the top of the slide.

Op de bank lag ik te huilen met als enige gedachte: ik wil niet ik wil niet ik wil niet ik wil niet. Toen herinnerde ik me een mooi verhaal over positief denken dat Swip me pas vertelde: man A en man B liggen allebei in het ziekenhuis. Man A is ongeneeslijk ziek, man B mankeert eigenlijk niets ernstigs. De dossiers worden verwisseld en daardoor krijgt man A te horen dat er eigenlijk niets ernstigs met hem is, en man B krijgt te horen dat hij erg ziek is en het niet lang meer zal maken. Man A wordt na een paar weken ontslagen uit het ziekenhuis. Man B overlijdt.

Dat maakte me wat rustiger. De migrainepil en dosis pijnstillers zullen ook wel hebben geholpen. Nu ga ik slapen, *tomorrow never knows.*

Mist

De mist hangt nog over mijn uitzicht, maar het is licht aan het worden. Mijn eerste dag zit erop. Een zuster hielp me me te installeren in mijn nieuwe kamer – ik ben verhuisd: ik deelde eerst een kamer met een Turkse jongen die er al twee maanden ligt. Kaal. De badkamer lag vol kleine haartjes. Hij lag er met PlayStation en tostiapparaat onder handbereik en een moeder die bijna op mijn bed zat om een Turkse soap op tv te kijken. Nu heb ik een eigen kamer, dat is fijn.

De zuster zei dat ik wel heel mooi, dik haar heb. Ik mompelde: 'Voor zolang het nog duurt,' waarop zij zich uitputte in excuses.

Ach, vorige week vroeg de chirurg: 'Bent u helemaal gezond?', om er snel achteraan te zeggen: 'Nou ja, afgezien van de kanker dan natuurlijk...'

Ik was gespannen en de hele dag doodmoe. Geen zin om te praten. De kindertjes kwamen aan het eind van de middag langs en het was leuk om ze even te zien, maar ook wel heel druk. Ze kwamen tegelijk met een nieuw chemo-infuus, dus dat ik een paniekaanval kreeg, kan heel goed van de chemo zijn geweest en niet van de kinderen. De verpleger heeft me nagekeken, maar alles, temperatuur, bloeddruk, was goed. Hij heeft de kinderen naar de conversatiekamer gestuurd ('Yeah tv!') zodat Klaas even alleen bij me kon zijn.

Ik moet om de haverklap naar de wc van al die infusen. Nog een heel gedoe met zo'n infuusstandaard achter je aan. Toen Klaas weg was, heb ik een uurtje geslapen en vervolgens een maaltijd gekregen die smaakte zoals hij eruitzag: papperig, kruimig en vies. Ik ben verwend door al het heerlijke eten dat ik de afgelopen weken thuis kreeg en dat gekookt wordt met zoveel liefde.

Na het eten is Klaas nog even alleen teruggekomen en hebben we samen op mijn bed liggen lepelen en doezelen, dat was heel fijn. Pillen erin en klokje rond geslapen, met een kleine onderbreking om vijf uur vanochtend.

Op naar dag twee.

Ik hoop dat de mist optrekt en dat ik nog een beetje van het uitzicht kan genieten.

Panter

Ik heb ze wel door: volgens mij krijg ik die anti-misselijk-heidspillen niet vanwege de chemokuur, maar vanwege het eten dat ze hier serveren. Echt, iedereen is hier superlief, zorgzaam en attent, maar *das Fressen*...

Gisteravond was het tjaptjoi met mie. De lucht alleen al was genoeg om mijn maag te doen omdraaien. Ik heb me vergrepen aan een bagel, bruine boterhammen en de caprese-salade die vriendinnen I. en E. hadden binnengesmokkeld. Aan de quiche ben ik niet eens toegekomen. Natuurlijk kon ik het niet laten toch even het warmhouddeksel op te lichten van mijn bord tjaptjoi, zoals ik ook altijd even gruwend moet kijken in een bakje dat veel te lang in mijn ijskast heeft gestaan voor ik het in de prullenbak gooi. (Fascinerend! Kijk, het beweegt!)

Na het avondeten kwam er weer een paniekaanval. Het begon ermee dat ik opeens dacht dat ik bang was en moest huilen. Ik drukte maar vast op het zusterknopje want ik herkende het gevoel van gisteren. Ik begon amechtig adem te halen, hoe hard ik mezelf ook voorhield dat ik rustig moest blijven ademen. Niets zo funest als het gevoel dat je geen controle meer hebt over je lichaam, en aangezien ik het gevoel had helemaal geen controle meer te hebben over mijn ademhaling, ging ik nog paniekeriger ademen.

Mijn voeten begonnen te tintelen (o, dacht ik nog bij mezelf, dat heb ik weleens gelezen over hyperventileren) en ik lag als een gek te knijpen in mijn deken, en even later in de hand van verpleger P. Hij probeerde mij – rustig sprekend met zijn Duitse accent – weer terug in een wat minder hectisch ademhalingspatroon te krijgen, maar ging ook snel een rustgevend pilletje halen. Het duurde een hele tijd voor het over was, ik lag te rillen, te klappertanden, te huilen – hoewel dat laatste nog verdraaid lastig is als je ondertussen ook al moet rillen, klappertanden en ademhalen.

Ik heb zo'n zin om weer thuis te zijn. Lekker in mijn eigen bed, op mijn eigen bank. Ik voel me gevangen hier, en moet steeds denken aan 'Der Panther' van Rilke:

Sein Blick ist vom Vorübergehn der Stäbe
so müd geworden, dass er nichts mehr hält.
Ihm ist, als ob es tausend Stäbe gäbe
und hinter tausend Stäben keine Welt.

Der weiche Gang geschmeidig starker Schritte,
der sich im allerkleinsten Kreise dreht,
ist wie ein Tanz von Kraft um eine Mitte,
in der betäubt ein großer Wille steht.

Nur manchmal schiebt der Vorhang der Pupille
sich lautlos auf—. Dann geht ein Bild hinein,
geht durch der Glieder angespannte Stille—
Und hört im Herzen auf zu sein.

The grandmother paradox

E. kwam met een prachtige knot wol en dikke pennen zodat ik
kon breien in het ziekenhuis. De wol ziet eruit als *bucatini*. Ik
kan nauwelijks breien. E. heeft de steken opgezet en nu hoef
ik alleen maar in te steken, om te slaan, door te halen en af te
laten glijden. Dat moet lukken.

Ik heb me altijd verzet tegen breien. Op de lagere school
hadden de meisjes handwerken en de jongens handvaardig-
heid. Als de lessen begonnen, werden de jongens en de meisjes gesplitst en ik vond dat zo belachelijk; waarom zouden
meisjes niet mogen timmeren, en jongens niet mogen punni-
ken? Ik vond dat ze op zijn minst aan ons konden vragen wat
we wilden, maar nee: als je een meisje was, moest je feston-
steekjes op pannenlappen oefenen. En haken, naaien en brei-
en. Alles in mij verzette zich daartegen, want ik wilde per se
figuurzagen of timmeren. Dat leek me oneindig veel stoerder

en dus leuker dan vingerhaken. In ieder geval wilde ik niet in een lokaal met de handvaardigheidsjuf zitten die alleen maar klaagde dat mijn borduurwerk 'niet zo netjes' was (ik was het type van dik hout zaagt men planken – grote steken, snel thuis) of dat mijn breiwerk een 'beetje rommelig oogde' (en dan was ze nog redelijk optimistisch over het resultaat). En ik haatte het als ze me vertelde dat ik 'iets maar even over moest doen voor een beter cijfer' en ik bij mezelf dacht dat een vijf voor dit pannenlapje ook al fraai zou zijn. Maar dan haalde ze het breiwerk uit. Of ze tornde draadjes los uit mijn woedend gestikte lapje. En dan móést het wel opnieuw.

In het lokaal verderop klonk ondertussen ergerniswekkend vrolijk gehamer en gezaag.

Overdag maalt mijn hoofd op volle toeren, maar mijn lijf hobbelt er een beetje achteraan. En van al die chemicaliën ga je ook nog gek dromen. Een beetje hoe ik me een lsd-trip voorstel. Ik droomde dat ik twee verschillende schoenen aanhad, en dat een kamertje in een huis een waanzinnig grote zolder bleek te zijn, vele verdiepingen met oude rommel, kleren en mensen (die mensen waren niet oud overigens). Ongetwijfeld symbolisch voor mijn geheugen, waarin ik telkens verdwaal op het moment.

Twaalf jaar geleden zaten we in het Slotervaart-ziekenhuis met weeën. Dat wil zeggen: ik had de weeën en Klaas zat erbij. Valentijn vroeg me pas nog wat ik een bijzonder moment vond. Nou, dat moment was wel heel bijzonder, Valentijn, dat jij geboren werd en op mijn buik werd gelegd, en dat ik me realiseerde dat het nu allemaal pas begon. Ergens in Amsterdam zitten nu vrienden van ons nagelbijtend op hun eerste kleinkind te wachten. Opa en oma in spe hebben bij de aanstaande ouders de ramen gelapt, keukenkastjes uitgemest, een bedje in elkaar getimmerd, de muren geverfd.

Dat wil ik ook op een dag, en dan brei ik iets voor mijn kleinkind. Misschien is mijn bucatini-breisel vast een begin, want snel gaat het niet, ondanks pen nummer 10 (formaat bezemsteel). Gedachteloos pen na pen is het idee, maar daarvoor gaat mijn hoofd veel te snel. Tien pennen en dan vlieg ik bijna tegen het plafond van onrust. Het wordt denk ik een dekentje, een dekentje voor Lulu's Konijn; volgens Lulu mijn eerste kleinkind, al blijft het natuurlijk een raadsel hoe Konijn ouder kan zijn dan Lulu. (Konijn stond al in Lulu's wiegje te wachten voor ze geboren was.) Nou ja, dat is meer iets voor René Barjavel, zoiets als 'the grandmother paradox'.

De zeventien beste engelen van Amsterdam

Vannacht droomde ik dat ik in een soort grand café was, waar een beeld van een engel stond. Of leefde de engel? Een van de mensen met wie ik daar was, vroeg of er in Amsterdam meer cafés met engelen waren. Ik zei dat ik er wel een paar kon verzinnen en dat ze zeker naar de Jordaan moest gaan als ze cafés met engelen wilde zien. Ze noteerde het als artikelonderwerp: 'Zeventien cafés in Amsterdam met de beste engelen'. Of misschien was het 'De zeventien beste cafés met engelen in Amsterdam', dat weet ik niet meer precies.

Engelen in dromen schijnen te duiden op verstoringen in je ziel – ja, dank je de koekoek! Verstoring in ziel én lijf zelfs! –, ze bieden je in je droom troost en brengen een boodschap die tot geluk moet leiden (meer cafés bezoeken? Een kroegentocht? Naar de Jordaan? Engelen gaan sparen? Of was de boodschap domweg dat ik moet schrijven omdat dat mij echt gelukkig maakt?).

Vandaag weer naar de AMC-bunker. Geen telefoonbereik, wél wifi en Facebook gelukkig, dat houdt de moed er een beetje in. Fotootjes posten van mijn armband met QR-code (gecheckt of-ie het deed, en jawel: mijn patiëntgegevens verschenen keurig op mijn iPhone. Dit tot grote verbazing van het verplegend en infuusprikkend personeel, dat a) nog nooit een QR-code had gezien en b) hogelijk verbaasd was dat die nog werkte ook. Die laatste reactie baarde mij dan weer enige zorgen.)

De port-a-cath is vandaag geplaatst. Eerst zou het om half een gebeuren, maar vanochtend belden ze of ik eerder kon. Graag! Want hoe eerder die operatie klaar was, hoe eerder ik mocht eten. Klaas en ik meldden ons dus enthousiast om half elf, maar toen bleek het net juist weer heel erg uitgelopen ('door iemand met verklevingen,' zei de verpleegster, wat mij heel ernstig en alarmerend voorkwam, maar aan de andere kant: doe mij een verkleving in plaats van die tumor en je hoort mij niet meer).

Klaas en ik hadden dus opeens tijd (en ik ook nog ontzettende honger) en we zijn even in de AMC-wereld sinterklaasinkopen gaan doen. Best nuttig al met al.

Om half drie lag ik eindelijk in de OK – met mijn reservebril, want ik wilde graag zien wie wat waar ging doen. Pas toen ik de narcose kreeg, werd mijn bril afgezet. De operatieassistent zei dat ik aan iets leuks moest denken als ik ging slapen, dan zou ik met die gedachte ook weer prettig wakker worden. Ik dacht aan Klaas. Ik dacht aan de kindertjes die zo vrolijk aan tafel hadden gezeten met de taart voor Valentijns verjaardag. Ik dacht aan Valentijn die twaalf is geworden en die vroeger als peuter op een cherubijntje met grote blauwe ogen leek. En toen sliep ik.

En ik droomde dat ik fietste in de buurt van Amsterdam Centraal, op een van de grachten, het Singel; daar staat boven op een pand een gouden engel. Vroeger fietste ik er vaak langs op weg van of naar het station. En die engel stond daar maar en ik had altijd het gevoel dat ik de enige was die die engel zag blikkeren in het zonlicht, daar hoog boven mijn hoofd, afgetekend tegen de strakblauwe lucht boven de stad.

Palliatief

Vandaag geen poëtische dag. Ik ben enorm hyper, eigenlijk al sinds gisteravond en ik heb nauwelijks geslapen, ondanks een slaappil. Misschien komt dat door de narcose van gisteren voor het plaatsen van de pac (port-a-cath, maar insiders spreken van pac, dus dat doe ik vanaf nu ook maar), maar ik stuiterde bijna. Pac-girl biep biep biep. Die pac hebben ze 'buiten het decolleté-gebied' geplaatst, maar ik heb een iets ruimere opvatting over decolletés dan het AMC, geloof ik. Goed, met een coltrui zie je er nauwelijks iets van.

Behalve dat ik klaarwakker in bed lag, was het sowieso een onrustige nacht: Klaas werd ziek en heeft twee keer overgegeven. Je zou kunnen denken dat hij lijdt aan plaatsvervangende bijwerkingen van de chemokuur, zoals sommige mannen zwangerschapskwaaltjes ontwikkelen, maar vermoedelijk en waarschijnlijker is het een ordinair virus. Lulu en Swip klaagden ook over buikpijn en omdat Valentijn uit logeren was en naar school werd gebracht, zijn we lekker met zijn vieren wat langer in bed blijven liggen.

Het ging eigenlijk wel prima, de maatschappelijk werkster van het AMC belde me om eens te horen hoe het met mij, met ons gaat. Ik vertelde haar monter over de chemo, over de kinderen en over mijn paniekaanvallen, alsof ik haar onze vakantieplannen voor de komende zomer uit de doeken deed. Maar ik vertelde ook over ons plan A en ons noodplan, plan B, en wat we aan het regelen zijn daarvoor.

Toen ze in het kader van plan B vroeg hoe ik tegenover euthanasie stond, schoot ik in de lach. Om vervolgens vreselijk te gaan huilen. *Plan A! Plan A!* gilde een stemmetje in mijn hoofd. We hoefden er niet meteen iets mee te doen, maar het was misschien wel een idee om ons een keer te laten voorlichten over palliatieve sedatie.

Palliatieve sedatie. Dat zijn woorden die ik vaak in *Medisch Contact* heb gelezen, heb vormgegeven, en waarbij ik dan vooral oplette of ze niet raar werden afgebroken. De echte betekenis was nooit goed tot me doorgedrongen. Ver van mijn bed. Oude mensen.

Ik heb het idee dat als iemand ernstig ziek wordt, zijn wereld geleidelijk aan steeds kleiner wordt, en dat mensen met steeds minder genoegen nemen. Eerst is de wereld je speeltuin, daarna neem je genoegen met een land. Vervolgens is de straat waar je woont je wereld, en dan wordt je huis je biotoop. Na verloop van tijd wordt dat misschien weer ingeperkt tot je kamer, of zelfs je bed. Misschien wordt je leven uiteindelijk beperkt tot het kunnen knijpen in iemands hand.

Als het ver weg is, denk je (en ik bedoel natuurlijk, *dácht* ik): in iemands hand knijpen is wel heel erg minimaal, hoe waardevol is dat? Maar nu denk ik: misschien is in iemands hand knijpen straks wel het waardevolste wat ik heb. Hoe kan ik daar nu over beslissen, hoe moet ik daarover nadenken?

Toen ik had opgehangen, was de lucht blauw. Klaas was slapjes en ik voelde me goed, dus ik dacht: komaan, ik haal Valentijn op uit school. Een fietstochtje kan geen kwaad. Beetje frisse lucht. Dat werk.

Maar weer thuis voelde ik me zo moe, down, lusteloos, verdrietig, lamlendig, miserabel, ongelukkig... En tegelijkertijd hyper en me pijnlijk bewust van alles. Huilen lukt me niet meer.

Een woedende, scheldende puber die eerst zijn sinterklaassurprise moest maken voor hij op zijn Wii mocht, droeg op geheel eigen wijze bij aan de feestvreugde. Ik zal blij zijn als de goedheiligman het land weer uit is. Ik heb ook helemaal geen zin om sinterklaasgedichten te schrijven.

December 2011

Palliatief handenknijpen

Swip en ik hebben gisteren een begin gemaakt met het palliatief handenknijp-alfabet. We hebben geoefend en een paar knijpcodes vastgesteld.

1 keer knijpen is 'ja'
2 keer knijpen is 'nee'
3 keer knijpen is 'ik hou van je'
4 keer knijpen is 'ik heb pijn of ben verdrietig'
5 keer knijpen is 'ik wil Instant Karma-thee'
Aaien met je duim is 'ik troost je'.

Vaker knijpen leek ons te verwarrend – wat? Hoeveel keer kneep je nou? 27 keer ('Kun je de poes even weghalen, hij stinkt uit zijn bek') of bedoelde je 'Wil je even links onder mijn rechterschouder krabben?' (28 keer knijpen). Of zei je negen keer achter elkaar dat je van me houdt? Of bedoelde je veertien keer nee, omdat je echt niet wil dat ik je hand vasthoud?

We kunnen denk ik nog verfijningen aanbrengen in de lengte van de kneep, zodat lang knijpen iets anders kan betekenen dan kort knijpen.

Gisteren en vandaag waren moeizame dagen. Dat buikgriepje van Klaas heeft, behalve Swip, mij natuurlijk ook te grazen genomen. Ben ik toch nog kotsmisselijk en aan het overgeven, en niet eens van de chemo. Klaas is min of meer opgeknapt en gisteren voor het eerst in Ons Nieuwe Leven de hele dag naar Groningen geweest om les te geven.

Er was een schema opgesteld zodat ik geen minuut alleen hoefde te zijn, dat was heel fijn. Beetje geslapen, beetje gehuild, beetje op de bank gelegen, nog een beetje gehuild... alles een beetje. Buikpijn, misselijk, moe. En keelpijn.

Maar dat zou kunnen komen van het plaatsen van de pac dinsdag. Ik vroeg aan de verpleegkundige waarom je eigenlijk geen make-up op mag voor de operatie en ze vertelde dat tijdens een narcose je ogen worden ingesmeerd met gel en dichtgeplakt, en dat je behalve een kapje over je mond ook een buisje in je keel geduwd krijgt. En daar merk je niets van, hoor. (Ja, dat zou helemaal fraai zijn!) Behalve dus als je make-up ophebt, want dan zit alles als je wakker wordt her en der verspreid en uitgesmeerd over je gezicht. Niemand vertelt je dit soort dingen als je er niet naar vraagt. Wel vertellen ze over mogelijke complicaties als klaplongen, maar over buisjes die in je keel geduwd worden, daarover heeft geen van de artsen iets gezegd.

Een wandeling gemaakt met I. aan het eind van de middag naar de Etos om Roosvicee Laxo te kopen. De reden van aanschaf laat zich raden – vooralsnog de enige echte bijwerking van de chemo. Het was goed om even buiten te zijn, fijn om even met I. te praten, al was ik bij thuiskomst uitgeteld.

Ik had vanmiddag een gekke droom: ik was in een donker gebouw en ik zag dat er in een gang mensen werden meegevoerd door in zwart geklede mannen met bivakmutsen en mitrailleurs. Mensen die ze tegenkwamen, moesten omkeren en onder bedreiging ook meekomen. Ik verstopte me onder een tafel achter een muurtje. Er waren veel bivakmutsen en ze namen veel mensen mee. Ze lieten alleen een groepje met een rood-witte stok ongemoeid – ja! blinden, die hebben hen toch niet gezien, dacht ik nog bijdehand in mijn droom – dat een beetje mopperend doorwandelde. Ik lag bang onder het tafeltje te kwijlen. Maar dat kwam waarschijnlijk doordat ik in mijn slaap op het kussen lag te kwijlen, en daar werd ik wakker van.

Ik zou zo graag willen dat iemand me nu knijpt en dat ik wakker word en dat alles een droom blijkt te zijn. Eén keer, twee keer, drie keer knijpen. Het maakt me niet uit, als ik maar wakker word.

Brief aan de Sint

Lieve Sinterklaas,

Wat ontzettend lief dat u vanmiddag persoonlijk bij ons langsgekomen bent! Het maakt het feit dat we uw boot hebben gemist bij de intocht meer dan goed.

Ik heb sinds de kleuterschool niet meer zo gehuild door uw aanwezigheid. Het was dit keer niet omdat ik zo bang voor u was, zoals ik als vierjarige met bibberende benen wel was en opeens met een niet meer zo'n grote mond ten overstaan van de klas naar u toe moest komen. Waarom ik toen zo bang was, weet ik niet meer, maar u heeft ongetwijfeld wel een aantekening gemaakt in een van uw oude grote boeken. Misschien is het ook maar beter als we dat onder ons houden.

Uw gedicht was ontroerend, net als de cadeaus die u mij, ons, vanmiddag hebt gebracht. Na uw bezoek was ik zo ontdaan dat ik minstens een uur heb liggen huilen en een half uur onder de douche heb gezeten om mijn hoofdpijn en verdriet te temperen. Maar dat kon natuurlijk pas toen de kinderen de twee grote zakken met pakjes hadden uitgepakt. Toen ze alle pakpapier door de kamer verspreid hadden, de pepernoten die ze niet meer op konden in

het tapijt hadden gewreven en het nieuwe speelgoed mee hadden
gesleept naar hun holen, heb ik een cocktail van migrainepillen,
pijnstillers en kalmerende middelen genomen die mij in een onrus-
tige en licht paniekerige, maar semicomateuze toestand de avond
heeft door gesleept.

U zei vanmiddag in uw gedicht dat mensen tegenwoordig niet
allemaal meer heilig in u geloven. Weet in ieder geval dat ik in u
geloof! Niet alleen heb ik u vanmiddag in levenden lijve gezien, ik
weet ook: geloven in dingen die volgens andere mensen helemaal
niet bestaan, geeft houvast, geeft hoop, geeft richting.

Zoals alle hulp en steun die we van andere mensen krijgen ons
moed en kracht geven. Lieve, lieve Sinterklaas, wilt u alle pieten
alstublieft heel erg bedanken voor hun bijdrage en hulp?

En als ik me komend jaar heel goed gedraag – en zonder aante-
keningen in het grote boek het jaar doorkom –, komt u dan volgend
jaar weer bij ons op bezoek? Dan beloof ik dat ik uit volle borst zal
meezingen, zonder de hele tijd te snikken.

Veel liefs en een kus,
Bibian

Chocola

Mijn tranen lijken zouter te smaken dan anders. Zit hem dat
in wat je eet, of worden tranen naarmate je meer huilt zouter
omdat het vocht in je lijf opraakt? Gisteren heb ik in elk geval
in verhouding veel gehuild en weinig gedronken – het eerste
door de komst en de cadeaus van Sinterklaas en het tweede
door de misselijkheid van de buikgriep.

Vandaag ging het beter, en heb ik niet alleen veel meer
gedronken en gegeten, ik heb ook nog eens niet één keer
gehuild (volschieten niet meegerekend).

Of verandert mijn smaak door de chemo? Ik zat op mijn iPhone te kijken naar foto's van gerechten die ik op Facebook heb gepost en steeds mompelde ik bijna automatisch 'lekker' bij het zien van volle borden en hapjes. Maar eerlijk gezegd word ik ook een beetje treurig als ik aan zelfgerolde sushi, feestelijke dimsumlunches, zelfgebakken pizza's in Florence of gefrituurde visreepjes in Andalusië denk.

De keukenkast ligt vol chocoladeletters en normaal gesproken had ik mezelf allang – zorgvuldig buiten het zicht van de kinderen – op een half alfabet getrakteerd, maar het kleine stukje chocola dat ik werktuiglijk in mijn mond stopte had niet het effect dat het vroeger had. Toen gaf een stukje chocolade een smeuïg, liefdevol, warm, zalig en gelukkig makend, beetje prikkelend gevoel tegen mijn gehemelte en mijn tong, dat helemaal doorstroomde tot in mijn tenen. Ik kan me nog levendig het juichgevoel herinneren van een stukje overheerlijke witte Lindt-chocola met amandelen en het verwarrende verschil als je Dairy- en Milka-melkchocolade door elkaar eet. Of het lichtprettige misselijke gevoel na een hele reep extra pure chocola waar je eigenlijk maar een klein blokje van moet eten. Bonbons met zachte pralinevulling. Nu had ik een stukje chocola in mijn mond en werd ik er eigenlijk alleen maar een beetje verdrietig van. Alsof alle joie de vivre uit de smaak van chocolade is verdwenen.

Maar geen tijd voor al te treurige overpeinzingen vandaag: Sinterklaas kwam nog een cadeau brengen: een klein roodharig katertje. Het heeft nog geen naam. Misschien wordt het Pancreas, maar Vlammetje is ook in de running.

Wat heerlijk om ons daar nu druk over te kunnen maken. Met een kopje thee erbij. Zonder stukje chocola.

Jubileum

Zo. Zondag was het precies een maand geleden dat we Het Slechte Nieuws kregen. Een dubieus jubileum.

We hebben in die eerste maand veel gehuild, elkaar vastgehouden, gepraat, paniekerig gegoogled, gemaild, geschreeuwd, gebeld, nagedacht, rustig nog eens gegoogled, wat zaken geregeld, cadeaus gekregen en dokters gesproken (die we ook uitgebreid hebben gegoogled). En ik heb zitten schrijven aan mijn blog.

Het voelt alsof dit het moment is om een stap voorwaarts te zetten in een proces. Er blijken vijf verschillende fasen in rouwverwerking (of in dit geval, slechtnieuwsverwerking) te zijn:

1 ontkenning (shock)
2 woede
3 marchanderen
4 wanhoop en/of depressie
5 acceptatie

De lengte van de stadia en de volgorde liggen niet vast. Het proces is persoonlijk, voor iedereen uniek, dus er zijn ongetwijfeld ook mensen die de stadia van achter naar voren doorlopen en in shock eindigen. Of in woede. Depressief. Of als onderhandelaar van een middelgrote firma. Wie weet waar ik over een maand zit. Maar vooralsnog ben ik een schoolvoorbeeld. Elisabeth Kübler-Ross – de psychiater die deze stadia heeft omschreven – zou trots op me zijn.

Het eerste stadium van shock was onmiskenbaar dat rare zwevende gevoel toen we bij de arts in het OLVG weggingen en het leek alsof we op een schip in woelig water liepen. En natuurlijk het eerste weekend, toen we hier thuis huilend-apathisch en apathisch-huilend probeerden te begrijpen wat we precies te horen hadden gekregen.

De schreeuwpogingen in de auto op de snelweg, het gillen thuis, het wrokkige gevoel bij het zien van oude mensen op straat (zij wel!) en het buitensporig uitschelden van de automobilist die mij geen voorrang gaf: woede. Die kan ik dus ook afvinken.

Bij marchanderen dacht ik eerst: wat valt er nou te onderhandelen? Maar eigenlijk heb ik het stiekem heel veel gedaan. Als ik nou nooit meer door rood fiets, als ik voortaan altijd aardig ben tegen iedereen, als ik nou beloof nooit meer te veel hooi op mijn vork te nemen, als ik beloof dat ik tevreden zal zijn, ook als ik nooit een gouden plaat maak of bestseller schrijf... mag ik dan alsjeblieft beter worden?

Wanhoop en depressie. Paniekaanvallen tellen wel als wanhoop toch? Dan heb ik ze tenminste niet voor niets gehad. Het moest blijkbaar van Elisabeth. En een flinke portie zelfmedelijden schuw ik trouwens ook niet.

Ik heb veel gemaild met ervaringsdeskundigen en het helpt op een gekke manier om te weten dat ik niet de eerste, de enige en helaas ook niet de laatste moeder ter wereld ben die ernstig ziek is en met de neus op haar sterfelijkheid wordt gedrukt. Alle verhalen hebben me allerlei ideeën gegeven over wat ik wil achterlaten. En het is fijn om te ontdekken dat ik al best het een en ander heb gedaan, zowel concreet als abstract, dat hoe dan ook achterblijft voor Klaas en de kinderen als ik er niet meer ben. Mijn hysterische gevoel IK MOET ALLES WAT IK VAN ZE VIND EN HOEVEEL IK VAN ZE HOUD NU VASTLEGGEN is een beetje genormaliseerd. Er ís gewoonweg al het een en ander dat bewaard zal blijven, en ik heb ze altijd zo volgestopt met liefde, kusjes, lekker eten, troost en goedbedoelde adviezen (irritante adviezen als 'kamer opruimen' en zo buiten beschouwing gelaten) dat er vast wel iets is blijven hangen, zelfs als ik nu niets meer zou schrijven of filmen.

Dat lijkt me toch wel een voorzichtig beginnetje van fase 5?

Vrede

Een topdag vandaag. Om half negen op de fiets naar de fysio-fitness. Koude regen en wind in mijn gezicht, ik was bijna vergeten hoe heerlijk dat kan voelen! Dertig minuten op de crosstrainer (wat een tikje overmoedig was), een paar oefeningen gedaan en een goed gesprek met de fysio gehad (binnenkort misschien maar eens met mijn psychotherapeut afspreken voor een massage).

En dat was het nog niet, nee nee: ook nog ruim twee uur met collega W. gefilmd voor het nageslacht, wat heel gezellig was. Erg leuk om door oude fotoalbums te bladeren en bij foto's te vertellen. Valentijn, net geboren, de navelstreng er nog aan. Foto's van Klaas, Valentijn en mij in New York, op Bonaire, op het Museumplein. Hetzelfde jongetje dat nu af en toe zo boos wordt en een echte puber aan het worden is, toen nog slapend met de poezen in de box. Op de schouders bij Klaas voor de Sinterklaasintocht.

Vanmiddag met Klaas naar het AMC geweest voor bloedonderzoek en een gesprek met de oncoloog. Met hem hebben we het *expert-opinion*-gesprek besproken dat ik afgelopen maandag met een gerenommeerd oncoloog had. De oncologen zijn het eens over de behandeling, dat is geruststellend en mooi. En: er is een tweede plan A! Als het eerste plan A niet werkt of niet meer werkt (kanker wordt op den duur namelijk resistent voor chemo, hoorde ik maandag) is er dus nóg een plan A. Plan A2 behelst een nieuw medicijn, Abraxane. Veelbelovend, maar in Nederland nog niet op de markt voor pancreaskanker. Dat laatste is een klein obstakel, maar niet onoverkomelijk, hoop ik.

De chemokuur duurt veertien dagen. De eerste drie dagen krijg ik via een infuus de chemococktail binnen. De ergste dip in de chemo is op de tiende dag. Als ik koorts krijg en schokkerig ga rillen, moeten we meteen bellen, ook 's nachts. Als mijn bloed vandaag goed is, hoef ik maandag niet nog een keer geprikt maar beginnen we meteen met de chemo. De dorst die ik heb, kan komen omdat ik gewoon dorst heb, maar kan ook een symptoom van beginnende suikerziekte zijn. Bijna 80 procent van de pancreaskankerpatiënten ontwikkelt suikerziekte.

'Hoe gaat het met je haar?' vroeg dr. R. Ik trek er even aan, maar het zit nog stevig vast. Twee à drie weken na aanvang van de chemo kan het beginnen met uitvallen. Dat is vanaf morgen. Maar het hoeft natuurlijk niet. De verzameling mutsjes is ondertussen aanzienlijk en er zitten prachtige kunstwerken tussen, maar ik hoop ze voorlopig niet (nooit!) nodig te hebben.

Hieruit blijkt toch dat de gedachte dat ik voorloop in de Kübler-Ross-stadia van slecht nieuws verwerken maar schijn is. Ik heb het eerste stukje van het nieuws geaccepteerd, maar er zullen nog een heleboel stukjes en feiten komen waar ik (nog) helemaal geen vrede mee heb. Zoals mijn haar. En nog veel meer dingen waar ik, zolang het niet echt hoeft, niet bij stil wil staan.

Ik moet vaak denken aan een special van *Medisch Contact* over vrede; vrede in het algemeen maar ook vrede hebben met je situatie. Daarin stond een stuk over mensen in een revalidatiecentrum, waarin iemand zei dat hij vrede had met zijn situatie. Dat verzet tegen je situatie energieverspilling is – zonder dat je de strijd opgeeft natuurlijk – en dat vond ik zo mooi en dapper en krachtig. Geen verzet tegen het feit dat je bijvoorbeeld een been kwijt bent, want daarmee krijg je je been niet terug, maar wel vechten om het onderste uit de kan te halen met één been.

Ik ben van nature erg geneigd tot verzet, dus ik heb me toen voorgenomen – zonder dat daar ook maar enige reden voor was – dat ik zou proberen ook zo vredig te zijn, als dat ooit nodig zou zijn. Dat lukt soms een beetje, al lijkt het misschien als ik schrijf alsof ik meestal best vredig ben, maar dat is *wishful writing*. Als je iets maar vaak genoeg zegt of schrijft, wordt het vanzelf waar. En anders is er ook nog oxazepam om tijdelijke vrede in je hoofd te creëren.

Bij nalezing van het artikel zie ik dat mijn herinnering vrij eh... associatief is. Niemand zegt in het stuk letterlijk wat ik dacht gelezen te hebben.

Telefoon

Vanmiddag werd ik gebeld – of eigenlijk werd ík niet gebeld, maar de telefoon ging en ik nam op. Dat lijkt hetzelfde, maar de beller had niet verwacht dat ik zou opnemen. Het was te horen aan de aarzeling bij de begroeting. Er was een kort moment nadat ik had gezegd: 'Hallo, met Bibian' waarin de beller overwoog op te hangen. Hij verbrak de verbinding echter niet, maar zei met een lichte twijfel zijn naam. Ik riep enthousiast hoe leuk ik het vond dat hij belde, maar hij had misschien spijt dat hij niet had opgehangen in die aarzelende secondes, ik had in ieder geval spijt dat ik de telefoon had opgenomen. Dit zijn moeizame en ongemakkelijke gesprekken.

De beller durft niet te vragen hoe het gaat, want wat is dat nou voor vraag aan iemand met kanker, lijkt hij te denken. En praten over iets anders lijkt ook zo ongepast. Ik durf niet meer te zeggen dat het eigenlijk wel goed gaat vandaag, dat ik lekker lag te lezen, niks aan de hand – beetje moe misschien –, kopje thee naast me, het kleine rode poesje Wally in mijn nek, maar durf niets te zeggen over kanker, chemo of aanverwante zaken die de beller nog verder in verlegenheid zullen brengen.

Als je op straat loopt, kan iemand – of kun je zelf – een zijstraatje, winkel of portiekje in vluchten, of kun je allebei net doen of je de ander niet ziet omdat je druk aan het bellen of sms'en bent, of hoog boven je een denkbeeldige formatie vogels bestudeert.

We worstelden ons door het gesprek heen en toen ik eindelijk had opgehangen, realiseerde ik me dat ik de vleesgeworden nachtmerrie ben van andere mensen. Mij, of eigenlijk ons gezin, is overkomen wat mensen wellicht het meest vrezen: rampspoed, dood en verderf, ziekte en ellende. En dan neem ik gewoon onbeschaamd de telefoon op en sta onschuldige medemensen te woord!

Misschien denkt de beller wel: wat ontzettend lullig voor je, maar tsjonge, wat ben ík blij dat dit mij niet overkomt, zeg. Het zou zelfs kunnen dat iedereen dat even denkt en het stiekem geruststellend vindt dat dit ons treft; het maakt de kans dat het hen treft statistisch tenslotte wat kleiner. Het zijn begrijpelijke gedachten. Natuurlijk ben je blij dat dit mij en niet jou overkomt. Ik bedoel, ik zou ook liever hebben dat dit iemand anders overkomt, laten we wel wezen.

Maar die gedachte vult me ook met intense droefheid. Loodzwaar is mijn hart. Het is alsof ik in een zwart-witfilm terecht ben gekomen. Een grauwe, oude, duistere horrorfilm. Als een klein katje ben ik in mijn nekvel gepakt en in een donkere omgeving neergezet, op een plek waar alle kleur verdwenen is. De geluidsband ruist en kraakt, het beeld streept zo nu en dan, de muziek zweeft. In dit sombere decor moet ik proberen mijn leven weer op te pakken. Ik probeer de draadjes aan de monsters te zien, en ze zo minder eng te maken. En dan stopt de filmband flapperend of rinkelt de telefoon: en ben ik weer even terug, in full colour.

Ik dacht dat ik niet bijgelovig was, maar ik heb een glazen pot op tafel staan met daarin een geluksflesje, een kristallen engel, een eenhoornzielensteen, een smurfin, een Playmobil-engel, een klein mutsje, een paars glowlampje dat het niet meer doet, een vriendschapssteen uit de Himalaya, een paarse steen van onduidelijke herkomst en een armbandje met een gelukspoppetje.

Voor we gaan eten steken we een kaars aan en maken we een kring door handen vast te houden. En dan roepen we: 'Een voor allen, allen voor een!' Klaas heeft vandaag kaasfondue gemaakt, ter afsluiting van onze familiedag. We proberen zondag onze familiedag te laten zijn, voor ons vijven. De enige dag dat er geen school, pianoles, paardrijles en ziekenhuisbezoekjes zijn. De enige dag dat er niemand voor ons kookt, op mij of op de kinderen hoeft te passen: we hoeven helemaal niets. Alsof we een gewoon gezin zijn.

Aan tafel bespraken we *De gelaarsde kat*, die we die ochtend in de bioscoop hadden gezien. De kinderen vonden hem heel erg leuk, wij vonden hem wel aardig. Valentijn klaagde dat hij ons altijd zo kritisch vindt over films (en boeken en muziek), en ik probeerde hem uit te leggen dat dat komt doordat ik hen heel erg serieus neem. Dat ik altijd probeer te luisteren naar wat zij vinden of zeggen, over kunst, over mensen, over alles, en dat hun mening ertoe doet. Juist omdat ik ze zo serieus neem, geef ik ze ook míjn mening.

Ik probeer altijd te luisteren naar mijn kinderen (deden zij dat ook maar naar mij), want dat levert vaak frisse, onverwachte invalshoeken op – en anders gewoon een heel grappig en interessant gesprek. En ook weleens eindeloze, zeer eenzijdige gesprekken over computerspelletjes.

Ik zie mijn kinderen als volwaardige gesprekspartners.

Misschien schiet ik hier een beetje in door, maar dat komt dan doordat ik mezelf als kind zo weinig serieus genomen voelde. Als ik iets zei in het gezelschap van grote mensen, werd er snerend gezegd 'kleine potjes hebben grote oren', werd ik gesommeerd ergens anders te gaan spelen of werd ik domweg genegeerd. Als we ergens heen reden, zat ik zonder enig idee van het einddoel op de achterbank, en werden mijn vragen waarheen we gingen of hoe lang het rijden was met een flauwiteit afgewimpeld.

Niet weten waar je heen gaat is frustrerend.

Nogal wrang dat ik nu dus onderweg ben op een ongevraagde, ongewilde reis en dat niemand mij precies kan vertellen waarheen de tocht gaat en wanneer ik daar aankom. Hoeveel kronkelwegen, zijpaden en omwegen liggen er nog in het verschiet? Mooie uitzichten vanaf een bergtop, maar misschien ook onverharde weggetjes en striemende slagregens? Zorgen over morgen als de tweede chemoronde begint. Geïrriteerd door de migraine, die nu helemaal zonde van de tijd is.

Terwijl we ons kringetje aan tafel maakten, begreep ik opeens de behoefte, de noodzaak van mensen om te bidden. Ik voel een enorme drang om onze krachten te bundelen, energie door te geven aan elkaar en moed te verzamelen. En om goede gedachten de wereld in te sturen aan iedereen die ons helpt, steunt en overlaadt met cadeaus, kerstboom, kerstballen, zorg en liefde. Is dat niet een beetje het idee van bidden?

De wens dat mijn kindertjes gezond oud zullen worden en dat ik nog lang naar ze kan kijken, aan ze kan ruiken, en ze vast kan houden. Met Klaas naast me in bed en het zakje met Peruaanse zorgenpoppetjes onder mijn kussen.

Wachten

De tweede chemo komt wat harder aan dan de eerste. Er ging ook van alles 'mis'. Ik moest me om half tien in het AMC melden, en omdat er geen bloed geprikt hoefde te worden, dacht ik: mooi, dan gaat het lekker snel.

Wachten is afschuwelijk. Wachten op de bus, wachten op je beurt, wachten tot je in slaap valt, wachten tot de zak chemo leeg is. Maar wat bleek: iemand had het kraantje niet opengedraaid. En daar kwamen ze na twee uur, toen de volgende zak aan de beurt was, pas achter. Voor niks wachten is nog erger dan gewoon wachten. Een enorme aanslag op mijn geduld, kan ik je verklappen.

Mijn kamergenote baalde met me mee. Leuke vrouw met superkort haar. Grappig trouwens dat als je iemand niet kent, heel kort haar niet tragisch oogt, maar gewoon als een leuk kapsel. Zij had ook een rotdag, was erg misselijk en vroeg of ik het avondeten – wat ik had gehoopt thuis te krijgen, maar door alle vertraging nu toch in het AMC moest eten – liever niet op de kamer wilde eten. Ik snap heel goed dat je niet tegen etensluchten kunt, dus ik ben in de conversatiekamer gaan eten. Ik kan zelf ook niet erg goed tegen de lucht van ziekenhuiseten, daar heb je een sterke maag voor nodig.

Klaas belde om te vragen hoe het ging en terwijl ik hem aan de telefoon had, viel achter hem de kerstboom om – topzwaar door alle kerstballen die alleen bovenin kunnen hangen omdat er anders een klein rood poesje naar ze springt, maar ook een handje geholpen door twee kindertjes die dat kleine rode poesje zochten achter de kerstboom... Klaas zou me nog bellen.

Anti-misselijkheidspilletje ingenomen en dapper wat hapjes gegeten. De verpleegster kwam even kijken naar het infuus en zeggen dat ze het zo lief vond dat ik ergens anders was gaan eten, toen ik opeens begreep waar die warmhouddeksels nog meer voor kunnen dienen. Perfecte kotsbakjes! Alle dappere hapjes kwamen er weer uit, en bij de laatste golf zag ik het anti-misselijkheidspilletje in de bak vallen.

Ik voelde me hondsberoerd. Klaas belde precies op dat moment terug en kreeg live nog een laatste galspuging mee. Als een zombie ben ik om half tien thuisgekomen, na twee spuitjes tegen de misselijkheid.

Vorige keer was ik alleen moe en had ik wat obstipatie, deze keer is het misselijkheid, diarree, onrustige benen, paniekaanvallen, algehele misère en heel moe. O ja, en ook nog dat rare gevoel in mijn keel, alsof ik iets massiefs probeer door te slikken en dat ik niet tegen koud drinken kan; een neurotoxicologische bijwerking van de chemo die ook maakt dat kou als pijnlijke speldenprikken aan mijn vingers voelt.

Nou ja, dan kan het de derde keer alleen maar meevallen toch? Hoop ik.

Afwachten maar.

Cytostatic girl

Zo, ik ben weer afgekoppeld en infuusvrij. Niet dat ik me meteen beter voel – sterker nog, het kan nog wel een zware week worden, zei de oncoloog. Hij wil lekker doorpakken, dus over twee weken, net na Kerst, gaan we vrolijk verder met de derde kuur. Als ik net weer een beetje opgekrabbeld ben, zei hij.

Dat klinkt veelbelovend.

Ik doezel overdag steeds een beetje weg. Ik droomde dat ik in een huis was, ons huis, maar het was ons huis helemaal niet, maar in mijn droom wel. Zoals dat gaat in dromen: er klopt niets van, maar in de droom is het allemaal vanzelfsprekend.

We moesten spullen inpakken, want ons huis zou binnenkort afbranden. Om de een of andere reden was aan dat afbranden niets te doen, maar we hadden gelukkig nog tijd om dierbare spullen te redden. Ook weer niet heel veel tijd, al werd niet duidelijk hoeveel precies. Ik was in lichte paniek. De jongens waren doodgemoedereerd wat aan het inpakken (vieze sokken, een boek), Klaas was domweg al zijn kleren aan het inpakken en ik dacht: mijn fotoalbum van vroeger! De doos met Schleich-diertjes van Lulu! Kleren – maar welke kleren? Mijn lievelingsjurk! Maar wat is mijn lievelingsjurk eigenlijk? Van die vraag raakte ik echt volslagen in paniek.

Je hoeft geen droomdeskundige te zijn om deze droom te duiden, lijkt me. Wat aan te trekken op de dag des oordeels, dat lijkt te zijn wat meisjes bezighoudt, de ultieme vraag. Ik hoopte eigenlijk dat ik wat meer diepgang aan de dag zou leggen – hoewel dat wellicht wat veelgevraagd is –, maar ik zal het ermee moeten doen.

Het houdt me ook overdag, wakend, wel bezig, eerlijk gezegd. Hoe ga ik naar het ziekenhuis? In joggingbroek, lekker makkelijk, of maak ik er wat van, zodat ik bij de lift niet meteen als patiënt gespot word. En is dat belangrijk, om niet direct als patiënt herkend te worden, of doet dat er niet toe? Verdwijnt dat in de loop van de sessies vanzelf en begrijp ik straks werkelijk niet meer dat ik twijfelde tussen mijn kekke rode hakjes en die afzichtelijke, maar heerlijk warme laarsjes?

De chemo stroomt door mijn aderen, ik ben een *cytostatic girl*. Ik moest er maar een songtitel van maken en een nummer over schrijven. Muziek maken is misschien ook wel rustgevend.

Mijn maag vertrouw ik nog steeds niet helemaal, eten gaat nog niet van harte. Koud drinken lukt niet, maar warm water drinken gaat gelukkig prima, want vocht is belangrijk. Mijn handen tintelen raar, mijn voeten zijn koud en de volgende paniekaanval ligt op de loer.

Maar verder gaat het prima. Pak de gitaar en zing met me mee:

I am a cytostatic girl
I light up in the night
I am a cytostatic girl
My eyes are shining bright

Ik ga er nog even over nadenken, over dat refrein...

Senses working overtime

Mijn zweet stinkt verschrikkelijk door de chemo. En mijn plas ruikt ook raar. Mijn reuk staat op scherp en als ik de ijskast open, keert mijn maag zich om van de lucht die me tegemoetkomt. Dat moet aan mij liggen, want verder staat er niemand kokhalzend in de keuken. Ook de kattenbak in de gang stinkt onverdraaglijk, net als het doucheschuim dat 's ochtends door iedereen – behalve door mij – gebruikt wordt. Wel heerlijk mijn haar gewassen vanochtend; het zit er allemaal nog aan. Voorzichtig inzepen, ik ben als de dood dat ik straks met plukken haar in mijn hand sta.

Shampoo ruikt wél goed, trouwens.

Het lijkt wel of mijn kleren nog naar ziekenhuis ruiken. Het is een raar luchtje en het blijft maar in mijn neus zitten. Ik heb zin om alles op 90 graden te wassen, inclusief mezelf, maar kasjmieren sjaals en kookwas zijn geen goede combinatie. En waarschijnlijk zit die geur niet in mijn kleren, maar in mijn hoofd. Desondanks heb ik zin om alle ramen open te zetten en de boel te luchten, maar mijn vingers gaan prikken als ze in aanraking komen met kou.

Vanochtend na een korte fietstocht – in het rotweer zou je

kunnen zeggen, maar ik hou het liever wat positiever op 'fris' –
had ik, toen ik weer voor onze deur stond, het gevoel dat mijn
handen sliepen, bijna gevoelloos tintelend. En dat terwijl ik
handschoenen droeg. Heel akelig. Ik kon niet eens meer de
sleutels pakken. Ik kon mijn handen niet meer naar behoren
bedienen. Gelukkig was er iemand bij me die de deur wel kon
openen, anders had ik heel sneu voor onze voordeur gestaan.

Het tintelen gaat weer over als ik binnen ben en langzaam
warm word. Dat wordt dus een beetje opletten: als ik ga plassen zet ik vast de kraan aan voor warm water – dat duurt een
hele tijd in onze badkamer – zodat ik als ik mijn handen was,
niet eerst verstijf van schrik van de tintelingen door het koude
water.

Niets uit de ijskast pakken, want dat is te koud. Gewoon
even aan iemand vragen. Bijkomend voordeel daarvan is dat
ik ook geen ijskastluchtjes voor mijn kiezen krijg. Bakje in de
buurt als ik ga eten.

Nu ja, kleine veranderingen in de dagelijkse routine – als
het daarbij blijft, dan kan ik wel leven met die verscherpte zin-
tuigen. Sterker nog: dan *wil* ik leven.

Controle

De kinderen worden tussen alle bedrijven door gewoon groter. Lulu is gisteren voor het eerst op haar omafiets naar school
gereden. Eindelijk kan ze bij de trappers! Ik ben meegefietst
en we waren veel te laat op school. Ik stond voor het raam van
haar klas te kijken (naar binnen durfde ik niet met al die ver-
kouden kinderen) toen ik haar apetrots met haar telaatbrief-
je zag binnenkomen. Te laat omdat ze met haar grote fiets is
gekomen!

Ik had ook een topdag gisteren: een uurtje gesport, twee

broeken versteld, bijna een uur met de maatschappelijk werkster van het AMC gesproken, een begin gemaakt met het fotoboek van het reisje naar Londen met Swip van afgelopen mei, er kwam een vriendinnetje van Lulu spelen en ik heb eindelijk weer goed gegeten en gedronken. Maar toen kwam de man met de hamer, kreeg ik kramp in de borststreek (rechts, wat een hartaanval in ieder geval onwaarschijnlijk maakte) en lag ik opeens om acht uur knock-out in bed.

Ik werd af en toe wakker van buikkrampen. Tegen zeven uur vanochtend waren die zo erg dat ik maar op de wc ben blijven zitten, maar eigenlijk wist ik niet meer hóé ik moest zitten. Er kwam niks, maar de krampen waren onverdraaglijk. Ik beet in een handdoek, probeerde het met kreunen, wegpuffen – had visioenen van mijn bevallingen –, mijn armen begonnen te tintelen, rustig ademen, rustig blijven ademen, vooral uitademen anders ga je hyperventileren, en ik zweette als een otter. Ik riep Klaas. Ik viel heel eventjes flauw en ik voelde me zo ellendig. Ik had het koud en warm en ik had vooral die vreselijke krampen. Ziehier mijn zorg: geen controle meer hebben over mijn lichaam. En dat ik op de badkamervloer lig, wanhopig, kreun-huilend en dat de kindertjes mij dan zien.

Lulu schrok erg, Swip was uit logeren en Valentijn was heel lief. Hij is zo groot en volwassen, hield mijn hand vast en praatte rustig op me in, terwijl Klaas het ziekenhuis belde om te horen of die buikkramp een normale bijwerking van de chemo is. Hij voelde aan mijn voorhoofd of ik geen koorts had en haalde een deken omdat ik het koud had. Ik murmelde nog iets van 'pas op dat de deken niet in de wc komt, dan wordtie vies', maar Valentijn zei dat hij wel zou opletten en dat het bovendien niet zo belangrijk was of die deken vies werd, als ik het maar warm had, en dat die deken gewoon in de wasmachine kon als hij vies werd. En in al mijn misère was ik zo ontroerd en aangenaam verrast door zijn houding. Mijn oudste zoon. Daar werd ik zelfs met helse buikkrampen een beetje sentimenteel van.

Uiteindelijk kwam er iets, veel zelfs, diarree en voelde ik me een stuk beter. Opgelucht.

We lagen met zijn vieren in het grote bed een beetje te doezelen toen de weekendarts kwam kijken. Ik kreeg pilletjes tegen de diarree en het advies goed te blijven drinken.

Het ging wel weer, maar na een paar uur begon het opnieuw, niet zo heftig als vanochtend, maar toch flink. Bladerend in de handleiding *Chemo voor beginners*, die we van het AMC hebben meegekregen, zag ik dat er inderdaad ergens staat dat er rond dag vijf de zogeheten 'late diarree' kan optreden. Fijn, dat klopt dus.

Ik moet er nog een beetje in groeien. Of zoals iemand zei: je hebt afscheid genomen van je oude leven. Ergo: ik ben weer klein en moet van voor af aan beginnen, alsof ik nog niet bij de trappers kan.

Gebroken

Als elfjarig meisje oefende ik dagenlang, bijna onafgebroken de radslag zonder handen. Bij turnen oefenden we dat vanaf een verhoging, de kast, en ik deed het nu vanaf een bankje in de speeltuin. Het ging steeds beter, tot het de driehonderdvijf- of zesentachtigste keer misging: ik viel op mijn arm en hoorde 'knak'.

Het was zomer. Ik had een shirt aan met korte mouwen en kon mijn arm goed zien: er zat een rare knik in die er eerder niet in zat. Huilend rende ik naar huis. Ik kan me niet meer herinneren of ik moest huilen omdat het pijn deed, of dat ik alleen maar moest huilen van schrik.

Mijn ouders waren lichtelijk geïrriteerd toen ik huilend

thuiskwam. Die avond hadden ze een Spaanse les aan huis gepland staan, en die moest nu terstond afgebeld worden. Want zoals mijn vader zei: 'Zelfs een blinde kan zien dat we met die arm naar het ziekenhuis moeten.' En ik, die aan die arm vastzat en niet blind was – toen zelfs nog niet eens brildragend –, had ook allang in de gaten dat het niet goed was met die arm. Mijn arm. Hier moest een dokter aan te pas komen in plaats van een pleister uit de mottige verbanddoos, die we waarschijnlijk eerst nog moesten zoeken.

De hele weg naar het ziekenhuis, wat vanuit ons forensendorp naar de bewoonde wereld een klein half uur rijden was, zat ik snikkend op de achterbank en hield ik met mijn linkerarm angstvallig mijn rechterarm vast. Hij zag er misvormd uit en de aanblik maakte me misselijk. Maar vooral de gedachte die de hele tijd door mijn hoofd spookte, maakte me ziek en paniekerig: dit komt nooit meer goed. O nee, o nee, dit komt nooit meer goed, en dan heb ik altijd een arm die er zo raar uitziet en het niet meer doet. Of... of...

De dokter in het ziekenhuis was niet blind, maar wilde toch een röntgenfoto van de arm om de exacte ernst van de situatie vast te leggen. Ellepijp en spaakbeen gebroken, een enkelvoudige en gesloten breuk. Daar op de Eerste Hulp in Haarlem werd met een stevige ruk mijn arm rechtgetrokken en kreeg ik hem in het gips weer mee. Er kwam ook nog een heel grote injectienaald aan te pas, maar dat zal vóór het rechtzetten geweest zijn.

Het is vooral de paniek en de angst op de achterbank op weg naar de Eerste Hulp die vandaag steeds in mijn hoofd opduiken. Ik ben weer dat snikkende meisje dat denkt dat het nooit meer goed komt. En deze keer is er wél iemand die me troost, die me zegt dat het allemaal goed komt, dat ik erin moet geloven, dat het écht kan. Dat hij het gelooft, dat hij het wil.

En ik, ik wíl het geloven, maar ik ben zó bang dat het niet echt waar is. Daarom huil ik vandaag om alles.

Kerstdiner

Vandaag was het kerstdiner op de school van de kinderen. Meestal betekent dat een dag koken, maar dit jaar heb ik het ons makkelijk gemaakt met baklava van de Turk en diepvriespizza's. Baklava is op dit moment het lievelingstoetje van Lulu. Valentijn koos voor de pizza – dat is zijn lievelingseten en hij vindt die supermarktpizza's eigenlijk veel lekkerder dan de pizza's die we zelf maken. Het is me een doorn in het oog, maar het zal de puberteit wel zijn en het zal hopelijk weer overwaaien, die wegwerpsmaak.

Swip wilde sushi, maar dat was al ingevuld op de lijst in de klas (het blijft Amsterdam-Zuid tenslotte) dus heeft hij ook baklava meegenomen. En een cadeautje voor iemand dat we gisteren samen zijn gaan kopen, maar daar mag ik verder niets over zeggen. Het is heel schattig. Maar dat mag ik volgens mij ook niet zeggen.

Klaas heeft morgen een darmonderzoek waarvoor hij nuchter moet zijn en daarom mocht hij niets eten vanavond. Ik was dus de enige die thuis at. Gisteren zat ik al te mijmeren over wat ik vandaag zou willen eten. Dat was altijd een goed onderwerp om over na te denken. Tijdens vakanties ongeveer de enige dagbesteding: wat eten we vandaag en waar gaan we de boodschappen doen? (En: gaan we nog zwemmen als we boodschappen hebben gedaan?) Ik neem altijd behalve wat kookboeken mijn lievelingspan en een grote bak met onmisbare kruiden (gerookte-paprikapoeder!) mee op vakantie. Ook over hapjes en gerechten voor feestjes en diners heb ik vaak eindeloos gepiekerd. Mijn laatste verjaardagsfeest leverde bijvoorbeeld op (lees ik in mijn kookdagboekje): gambas al ajillo, salpicon de marisco, gegrilde inktvis, paprikasalade, gehaktballetjes in tomatensaus, papas arrugadas, croquetas de bacalao, hummus, serranitos, toast met Baskisch eismeersel, membrillo met manchego, prikkertjes met zure ansjovis, pepertje en reuzenkappertje, Spaanse tortilla, cabrales-crème, patatas bravas en zelf ingemaakte olijfjes en zelf geroosterde amandeltjes.

Ook het uitje begin dit jaar met Swip naar Londen stond in het teken van eten, met als hoogtepunt een zeer prijzige, maar onvergetelijke lunch in The River Café.

Ik vermoed dat ik een paar kilo ben afgevallen sinds het slechtnieuwsgesprek (mijn spijkerbroek lubbert in ieder geval aardig), en goed (en gezond) eten is nu met de chemokuren extra belangrijk.

De mensen die voor ons koken zeggen dat ik voorkeursgerechten mag opgeven. Ik heb een aantal jaar in de Kookboekhandel gewerkt en in de kast staat een paar meter kookboeken. Ik heb veel en vaak gekookt (én gegeten), thuis, in restaurants, dus ik zou toch wel moeten kunnen verzinnen wat mijn lievelingsgerecht is.

Wat zou ik kiezen als laatste avondmaal als ik een ter dood veroordeelde was? Risotto met paddenstoelen? Penne in tomatensaus gebakken in balsamicoazijn à la River Café? Serranitos? Vette frieten met een broodje falafel en veel knoflooksaus? Ons ultieme campinggerecht met aardappel, paprika, ui, knoflook en tomaat? Klaas' overheerlijke kaasfondue? Coquilles? Pasta met mosselen zoals in La Hostaria? Dimsum? Komkommersandwiches van witbrood? Sinaasappels? Een frisse appel?

De keuze viel uiteindelijk op sushi. Fijne structuur, overzichtelijke hoeveelheid, veel goede omega-3 vetzuren en licht verteerbaar. Klaas heeft het hier om de hoek voor me gehaald. Want het blijft Amsterdam-Zuid, zoals ik al zei.

Lijkwade

Vandaag kwam onze werkster. Wij hadden een doosje bonbons, een uitbundige kerstkaart en een gevulde enveloppe voor haar als kerstbonus, maar zij overtrof ons weer: ze had een minstens twee keer zo grote doos met gouden cyrillische krulletters vol chocolaatjes voor de kinderen meegebracht, en voor mij een pakje dat ze had laten opsturen uit Oekraïne. Ze haalde een witte lap met borduursel uit een tasje en gaf het aan mij. Mijn eerste gedachte was: o, mijn god, ze heeft haar tandeloze betovergrootmoeder in een klein tochtig hutje in een afgelegen Oekraïens dorpje een lijkwade voor me laten borduren!

Een lijkwade, dat is dus het eerste waar ik aan dacht, en dat terwijl vandaag toch een goede dag was. Vanochtend heb ik de kinderen naar school gebracht en daar een tijdje met een moeder zitten praten over kanker, haaruitval. Dat je nu helemaal niet aan me kunt zien dat ik ziek ben, dat soort zaken. Daarna met iemand van school gesproken over eventuele begeleiding van de kinderen, vervolgens naar de supermarkt gefietst om zakjes chips te kopen omdat Valentijn zich vanochtend op het schoolplein opeens herinnerde dat hij vandaag zou trakteren maar was vergeten dat tegen ons te zeggen (en nee, chips valt niet onder het traktatieprotocol op onze school, maar van reepjes wortel en komkommer worden die prepubers echt niet heel opgewonden en bovendien was ik niet in de stemming, noch was er tijd om een ellenlange discussie over de traktatie te voeren), toen weer naar school terug om de chips af te leveren en zeer voldaan over mijn vruchtbare eerste anderhalf uur van vandaag weer naar huis. Thuis gitaar gespeeld en gezongen en toen op de bank neergeploft.

Op de bank werd ik een beetje nerveus van de werkster die met de stofzuiger in de weer was, maar ik werd vooral zenuwachtig van het feit dat er steeds haartjes uit mijn wenkbrauwen en wimpers vallen als ik er even over wrijf. Is dat gewoon toevallig of is dit een vooraankondiging?

Mijn hoofdhuid voelt een beetje pijnlijk aan, alsof ik een te strakke paardenstaart in heb gehad. Precies zoals de moeder op school (een ervaringsdeskundige) vertelde hoe het voelt als je haar uitvalt.

Ik belde snel naar een bevriende fotograaf die had aangeboden foto's van ons gezin te maken, om te vragen of ze morgen beschikbaar is. Ze kan. Dan sta ik in ieder geval nog met mooi haar op de foto. Hoop ik.

Vorige week heb ik heel voortvarend in een overmoedige bui een pluk haar afgeknipt en een armbandje voor Klaas gevlochten. Nu heb ik een raar pluimpje boven op mijn hoofd, omdat ik nogal onnadenkend de eerste de beste pluk haar afknipte. Het was trouwens nog een heel gedoe om mijn dikke haar in een klemmetje met slotje te krijgen en ik betwijfel of het armbandje een lang leven is beschoren als het dagelijks gedragen wordt.

De lijkwade bleek trouwens een prachtige blouse te zijn, met fijn Oekraïense, met de hand geborduurde patronen en heel mooie pofmouwtjes. Ik doe hem morgen aan voor de foto's.

Familieportret

Na twee goede en drukke dagen – foto's laten maken van ons gezinnetje, chanoekakaarsjes aangestoken en diner bij vrienden en bij andere vrienden een heerlijke kerstlunch – zit ik nu in een diep dal. Het lijkt wel of ik alle fasen van rouwverwerking nog een keer, maar nu achterstevoren, doormaak en in fase 1 blijf steken.

Alsof juist door die twee goede dagen de angst dat ik de rest van het grote feest moet missen zo immens groot is geworden. Het overvalt me.

Ik wil niet weg, ik wil nog van alles doen, ik moet nog zoveel vertellen aan de kinderen. Ik moet ze nog zinnige en vast ook onzinnige adviezen geven over het leven, ze volstoppen met liefde, ze vermanend toespreken, ze vertellen over mijn jeugd, en ze me laten beloven dat ze nooit zonder lampjes in het donker zullen fietsen, dat ze altijd eerlijk zullen zijn, dat ze goed hun best zullen doen bij alles wat ze doen, dat ze geen vuurwerk van de straat moeten oprapen en dat ze nooit vergeten dat ik van ze hou. Of moet ik zeggen dat ze nooit vergeten dat ik altijd van ze hield? Of blijf je gewoon van mensen houden als je dood bent? Ja. Ja. Ik blijf van mensen houden als ik dood ben. Later. Op een dag, ver weg.

En Klaas, met hem moet ik nog heel veel wandelingetjes door de stad maken, en in bed praten over de kinderen, over ons bandje, over onze derde cd die we gaan opnemen, lachen als hij Sufjan Stevens met zijn gitaar imiteert, me verbazen over hoe goed hij gitaar speelt, en andere dingen kan die ik hier niet ga noemen. Ik moet zijn hand nog lang vasthouden en hem vertellen dat het allemaal wel weer goed komt, en dat hij geen beren op de weg moet zien als we de weg nog niet eens ingeslagen zijn. Dat hij soms meer moet luisteren dan praten.

Bovendien moeten we nog heel vaak kamperen in Spanje en wandelen in de Alpujarras of bij de tent in de hangmat liggen. Op een breed, bijna leeg strand door de branding lopen en de zon voelen op onze rug. Wandelen in Engeland in de regen en mopperen dat een van de kinderen zijn regenjas onderweg is verloren.

Ik wil het niet, ik wil het niet, ik wil het niet! Ik vertik het om dood te gaan!

Want er moeten nog meer feestjes en etentjes komen hier bij ons thuis, met mijn vriendinnen en vrienden, en dat ik dan het eerste uur denk dat er niemand komt, maar dat het uiteindelijk stampvol is. En we moeten weer een keer brandende lampionnen met een wens de lucht in laten zweven (en de boom in de straat bijna in de fik steken) en praten over alle dingen die we nog willen gaan doen.

Ik schaam me ook een beetje voor een ijdele angst: dat ze me zullen vergeten. En dat ze zonder mij niet elke dag een schone onderbroek aan zullen trekken. Nou ja, Klaas wel natuurlijk.

Ik wil niets missen, ik wil het opgroeien van de kinderen, het grijzer worden van Klaas, eigenlijk wil ik gewoon de rest van mijn leven niet missen. En dus moet ik nu extra goed opletten en kijken. Alle geuren, smaken, woorden, kusjes en omhelzingen met volledige aandacht in me opnemen, maar dat gaat natuurlijk niet.

Gisteren kwam vriendin S. foto's maken. Ik had me er heel erg op verheugd en me niet gerealiseerd hoe verdrietig het zou zijn. Ze heeft een heleboel foto's gemaakt, de hele middag lang. Ze heeft een gezinsfoto gemaakt waar we op staan zoals we op het geboortekaartje van Lulu getekend zijn. Op dat kaartje staan we vrolijk en met veel bloemen, maar dit keer hing er een zweem van treurnis: we spéélden een vrolijk gezin, want eigenlijk waren onze harten gevuld met tranen.

Klaas stelde voor om met zijn tweeën wat liedjes te spelen, zodat we samen muziek makend op de foto staan. Toen moesten we allebei erg huilen. Want we moeten ook nog samen heel veel liedjes maken en spelen. Ik heb gewoon helemaal geen tijd om dood te gaan.

Uit de oude doos

Een ernstige ziekte maakt duidelijk de gêne om gevoelens te uiten bij iedereen een stuk kleiner. Zowel schriftelijk (ik krijg bijna iedere dag wel een mailtje, een kaart of ja, zelfs brief waarin de afzender allemaal lieve dingen schrijft en me vertelt dat hij of zij van me houdt) als mondeling. Bij de mondelinge variant krijg ik vaak ook een stevige knuffel of een paar kussen.

Zelf doe ik het ook: ik heb nog nooit zo vaak ongegeneerd tegen mensen gezegd dat ik van ze hou, of ze verteld dat ze heel belangrijk voor me zijn of zijn geweest. En het is heerlijk om zonder duidelijke aanleiding iemand even vast te grijpen voor een innige omhelzing en dat niemand daar vreemd van opkijkt.

De afgelopen week heb ik nostalgisch en weemoedig oude dagboeken en brieven zitten lezen. De dagboeken, het zijn er een stuk of twintig, zitten in een rode koffer en de brieven zitten in een blauwe doos. Ik heb de brieven ooit – waarschijnlijk toen de computer het schrijven met de hand overnam en ik niet zoveel brieven meer verwachtte – gesorteerd op afzender. Er is een aantal mensen met wie ik uitzonderlijk veel heb gecorrespondeerd. Elke afzender is een keurige stapel met een lint eromheen.

Gek om brieven te lezen, omdat je maar één kant van de

correspondentie ziet. Ik liet de doos vol brieven en kaarten enthousiast aan de jongetjes zien: kijk, vroeger schreef ik sommige vrienden brieven en zij schreven brieven aan mij.

'Ja, wat we nu per mail doen, zeg maar.'

'Ja, maar brieven schrijven is toch anders. Hier, kijk, het is persoonlijker, je ziet het handschrift, soms tekeningetjes, doorhalingen als iemand zich tijdens een zin bedenkt of een fout maakt. Het is eerlijker en je hoeft ze niet te printen. Ik heb ze hier in een doos bij elkaar. Dat is toch leuker en veel tastbaarder dan een mailtje?'

'Ja mama. Mogen we nu weer op de Wii?'

Ik kwam in de doos ook een kaart tegen van mijn ouders die ze hadden gestuurd vanuit Uruguay. Ik woonde toen nog niet zo lang in Amsterdam, een half jaar – net zo lang als mijn ouders geëmigreerd waren – en had al tijdje niets van ze gehoord. Na die wekenlange radiostilte kwam er een kaart met de hartverwarmende tekst: GROETEN CORA/RUUD.

Of ik openlijk verdrietig was, weet ik niet meer, ik zal wel met vrienden grapjes hebben gemaakt over de kaart. Ik had hem mee in mijn tas, waarschijnlijk op de trap bij de post gevonden en mee naar college genomen. In de collegezaal schreef een lieve vriendin de kaart vol: 'Lieve lieve Bibian, ontzettend heel veel sorry dat we al 5 weken niet van ons hebben laten horen, maar we denken voortdurend aan je! Dit is echt een prachtig land en we hebben in ons appartement echt fantastische buren. Nou, je ziet: de kaart is bijna vol. We bellen je snel weer. PS: er is een cheque onderweg, dan kun je weer eens langskomen!'

Het is misschien wel de dierbaarste kaart die ik van mijn ouders heb.

Gaarkeuken

We hadden gisteren een heerlijk kerstdiner bij vrienden thuis. Hun kinderen en onze kinderen hebben in koppels voorgerecht, hoofdgerecht en nagerecht verzorgd. Het viel niet mee voor het eerste koppel (onze oudste, hun middelste) om het voorgerecht op tafel te krijgen. Bruschetta's en toastjes met Baskische eiersalade. Niet al te ingewikkeld dacht ik, maar het heeft ongeveer drie uur geduurd voordat we aan tafel konden.

Het hoofdgerecht werd door een ambitieuzer koppel (hun jongste, onze middelste) gedaan: gegrilde kwarteltjes à la Claudia Roden (heel zielig, maar onze zoon vond het geweldig om de kwarteltjes te onthoofden – ze waren wel al dood, hoor, maar ik vond het afschuwelijk), met friet, een mooie salade en broccoli.

Als dessert een citroentaart gebakken door de twee dochters (hun oudste, onze jongste). En als bonustoetje een echte Christmas Pudding met *egg nog* van vriendin E. Hij was heerlijk! Swip is bij deze officieel het eerste kind dat Christmas Pudding lekker vindt (Nigella Lawson althans zegt dat ze nog nooit een kind is tegengekomen dat ervan houdt. Maar misschien heeft ze geen kinderen of heeft ze een gruwelijke hekel aan kinderen en zegt ze van tevoren tegen ze dat ze het toch wel niet zullen lusten).

Niet al te laat naar huis, om vandaag goed uitgerust te zijn voor de derde chemoronde. Beetje zenuwachtig: hoe zou het deze keer gaan?

Het voelt toch enigszins middeleeuws die chemo. Zo van, we gooien er wat brandende pek in en moet jij eens kijken! Ze geven veertjes om de pijn te verzachten, dat dan weer wel.

Mijn buurman is een gezellige TNT'er die vanmiddag luidruchtig en uitgebreid met zijn bezoek de polletiek, Ajax en zijn betegelde tuintje heeft besproken. Praktisch onmogelijk om me te concentreren op Tolstojs *De dood van Iwan Iljitsj* (dat ik al drie weken probeer te lezen, maar mijn concentratievermogen is echt schrikbarend klein). Wordfeud lukt nog wel (tien simultaanspelletjes).

En ik kreeg bezoek van kapitein E., die heldhaftig twee cliniclowns uit de kamer heeft weten te weren, want grapjes maken doen we liever zelf. En niet onbelangrijk: hij had ook nog een bakje risotto meegenomen. Dus ik heb een keer heerlijk avondeten gegeten in het AMC. Het kan wel. Als je het maar van buiten laat komen.

Smaken hierover verschillen wel, merk ik. Mijn buurman is laaiend enthousiast over het eten in het AMC, al vond hij het vandaag voor het eerst – en hij ligt er al een paar weken – een beetje tegenvallen. Zijn vrouw heeft hier de twee kerstdagen samen met hem goed gegeten. Inmiddels heb ik van de zuster begrepen dat het eten extra goed doorgekookt wordt, omdat er veel patiënten op deze afdeling liggen met een zeer lage weerstand. Alle bacteriën moeten dood, dus koken ze aardappelen en groenten in de grote keuken tot kruim, en warmen ze vervolgens alles hier op de afdeling voor de zekerheid nog eens op. Ziehier het recept voor oneetbare gerechten.

Dat deden de kinderen gisteren een stuk beter.

Zware last

Ik ben 'bezig' met de derde chemo, dat klinkt een stuk actiever dan het is: er loopt bijna drie dagen een infuus en het enige wat ik moet doen is zorgen dat het lijntje niet in de knoop raakt bij het aan- en uitkleden. Of dat poes Wally niet naar het lijntje springt of erin hapt. De eerste dag ben ik in het ziekenhuis en dan mag ik 's avonds weer naar huis. De volgende dag even op en neer naar het ziekenhuis om de chemocassette te verwisselen en dan de derde dag terug om af te koppelen.

Het lijkt deze keer minder zwaar dan de vorige keer, al voel ik me erg labiel. Ik moet veel huilen, en verder een beetje moe en licht misselijk, maar ik heb vooral veel last van tintelingen en krampen in mijn handen. Heel vervelend met typen en de iPhone bedienen.

Gistermiddag wilde ik net even gaan slapen toen het alarm van mijn mobiele infuus afging: 'Lucht in de lijn', gaf het display aan, een luchtalarm dus, en het klonk nogal... tja, alarmerend.

Klaas belde met het ziekenhuis (ik hield ondertussen een kussen op het apparaat om het geluid te dempen), maar telefonisch was het probleem niet op te lossen. Het alarm was wel uit te zetten gelukkig, maar we moesten vlug naar het AMC. Lulu werd toevallig net opgehaald door een vriendinnetje, en Swip was al ergens spelen, dus alleen Valentijn ging mee. Gezellig kerstvakantie-uitje... Het probleem met de lucht in de lijn was snel opgelost door de verpleegster, en een uurtje later lag ik thuis in bed voor een heerlijk middagslaapje, en heb ik zonder pilletjes als een blok geslapen.

Vervelend dat we 's avonds nog een keer naar het AMC moesten om de cassette van het infuus te verwisselen.

Gek hoe je je aanpast aan nieuwe omstandigheden: het ritje naar het AMC begint al vertrouwd te worden en we hebben ons al veel nieuw idioom eigen gemaakt. Namen van geneesmiddelen en termen waar we tot voor kort nooit van hadden gehoord, gebruiken we nu bijna dagelijks. We verdwalen niet meer in het AMC-labyrint, schrikken minder van bijwerkingen, kennen al heel wat verpleegsters en verplegers bij naam en weten inmiddels een paar handige dingen om mee naar het ziekenhuis te nemen (macbookje en slot, eucalyptusolie om de ziekenhuisgeur te verdrijven, pepermunt, dik vest, twee leesboeken, breiwerk, setje stiften, drie opschrijfboekjes, toilettas, stapel tijdschriften, muts voor als mijn haar plotseling uitvalt, handschoenen, fruit, mueslireep, flesje water, pillendoosje, oplaadstekker voor mijn iPhone en macbookje, gelukspoppetjes, lippenbalsem, schoon T-shirt voor het geval ik spetter bij het overgeven, extra warme sokken en mijn ziekenhuiskaart. Een geluk dat Klaas steeds aanbiedt de tas te dragen).

Vanavond word ik weer afgekoppeld en ben ik weer een beetje 'vrij'.

Stof

Vanochtend toen ik wakker werd, was het er weer even. Dat korte moment dat er niets is. Die paar heerlijke tijdloze en gewichtloze seconden dat je onbevangen je ogen opent, kijkt en nog niets denkt. Ik zag in de streep zonlicht, die tussen de gordijnen door op ons bed scheen, stofjes dwarrelen. Het was een fascinerend schouwspel: een kruising tussen een vloeistofprojectie en een film over melkwegstelsels. De stofjes deinden volkomen willekeurig alle kanten op, elk pluisje in zijn eigen tempo en zijn eigen weg, zonder zichtbaar doel of duidelijke richting.

Tegelijkertijd kwamen alle niet zo onbevangen gedachten weer terug. Wij zijn allemaal stofjes die willekeurig in de ruimte dwarrelen, niemand weet waarheen en hoe lang je in de lucht blijft zweven, maar uiteindelijk vallen alle stofjes ten prooi aan de zwaartekracht.

Ik dacht aan de keren dat ik als kind in mijn bed lag en stofjes in het licht had zien dansen. Waar komen al die pluisjes toch vandaan? Ziet iedereen ze? Waar zweven ze heen?

Buiten ging ook nog een vogel zingen en toen was ik er weer volledig van doordrongen: het intens droeve, melancholieke gevoel dat alles eindig is. Een fijne, opwekkende gedachte om een dag mee te beginnen, nietwaar?

Naast me werd Klaas langzaam wakker en aan de andere kant van me lag Swip, op het matrasje naast ons bed, nog diep in slaap. Dat matrasje ligt daar eigenlijk voor als een van de kinderen ziek is of eng heeft gedroomd en 's nachts bij ons wil liggen, maar de laatste weken ligt er elke nacht wel een van de drie te slapen. Het geeft niet. Het is ook fijn om ze dichtbij te hebben.

Het werd een zware dag. Fysiek ging het wel, licht misselijk en moe, maar verder was het heel goed te doen. Zelfs weer een uurtje gesport, zij het op een laag pitje. Het was vooral moeilijk met elkaar thuis. De kerstvakantie heeft ons ritme en de regelmaat van school verstoord en iedereen is moe, huilerig en lichtgeraakt. Voortdurend aanvaringen tussen de kinderen onderling en een grote mond naar ons. Het kon niet anders, na het eten explodeerde het.

Morgen is de laatste dag van het jaar en de gedachte dat het misschien mijn laatste jaarwisseling is, is voortdurend aanwezig. Maar er is ook hoop op mooie dingen die het verse jaar zal brengen. Het is moeilijk een balans te vinden tussen enerzijds de feiten te accepteren en anderzijds te dromen over een onverwachte, heel goede afloop. Ik wil mezelf (en anderen) niet gek maken met defaitistische gedachten en het bespreken van mijn begrafeniswensen, maar ik kan ook niet doen of er niets aan de hand is en alleen maar denken, zeggen en hopen dat het allemaal goed afloopt. Ik dwarrel als een pluisje in het zonlicht en weet niet waarheen. Misschien zweef ik nog een heel eind naar boven, een stuk naar links, een beetje naar rechts, misschien nog een keer wat hoger om dan pas neer te dwarrelen op de grond of waar het ook is waar alle stofjes heen gaan.

Januari 2012

Chagrijnig

Ik ben ontzettend chagrijnig. Ook weleens fijn voor de verandering, in plaats van dat eeuwige gehuil. Niet dat ik vandaag niet gehuild heb; elke dag vind ik wel een reden om te huilen. Als het niet is omdat het de laatste dag van het oude jaar is, dan wel omdat het de eerste dag van het nieuwe jaar is. Huilebalk eersteklas, dat ben ik.

1 januari. Die datum is me nog nooit zo leugenachtig veelbelovend voorgekomen als vandaag. Hij ziet eruit als een frisse start, maar voelt allesbehalve zo. En daar ben ik dus heel erg over uit mijn humeur.

Gisteravond hebben we met zijn vijven Oud en Nieuw gevierd. Klaas had sushi gemaakt. Valentijn baalde daarvan, want hij houdt niet van sushi; hij klaagde dat het niet eerlijk was dat we het nou wéér aten. Ik werd er kribbig van en zei dat ik het had gekozen en dat ik het wél lekker vond en dat het misschien wel mijn laatste Oud en Nieuw is, en mogen we dan misschien iets eten wat ik lekker vind?!

Ik voelde me ontzettend kinderachtig en egoïstisch, maar nou ja, dan is het ook maar eens uitgesproken dat ik van sushi hou. En dat ik bang ben binnenkort dood te gaan. Misschien wel dit jaar.

Na het eten zaten we met de kinderen naar *Pirates of the Caribbean* deel 4 te kijken, toen ik weer buikkrampen kreeg.

Door mijn krampen en sprintjes naar de wc heb ik de ontknoping van de film flink weten te rekken. De medicatie die ik heb meegekregen, voor het geval ik weer vijfde-dag-van-de-chemokuurkrampen zou krijgen, werkte gelukkig redelijk goed, zodat we om middernacht zonder onderbreking elkaar hier thuis – met gemengde gevoelens – een heel mooi, gelukkig en gezond nieuwjaar konden wensen. Oud en Nieuw had altijd al iets melancholieks, maar deze keer werd ik echt niet blij van de vuurfonteinen en vuurpijlen in de hemel of van het uitgelaten geschreeuw op straat.

Vandaag een wandelingetje gemaakt door de Pijp en Swip naar een vriendje gebracht. Onderweg kwamen we bekenden tegen en het lukt me gewoon niet om níét te gaan huilen als ze me een gelukkig nieuwjaar wensen. Bij de eerste ging het nog net, maar bij de tweede gelukwens schoot ik vol.

Ik heb zin om te stampvoeten, rot op met je nieuwe jaar, doe mij maar gewoon vorig jaar, of het jaar daarvoor, dat was een prima jaar.

Tegelijkertijd voel ik me half verplicht om met een positieve blik 2012 binnen te stappen. Hoera, een fris begin, nieuwe ronde, nieuwe kansen. Daar ga ik in geloven, maar vandaag nog even niet. Vandaag ben ik gewoon strontchagrijnig en boos.

Voor Klaas

Door alle lijstjes en goede voornemens rond Oud en Nieuw herinnerde ik me dat ik vorig jaar, op mijn negenendertigste verjaardag, een to-do-lijstje heb gemaakt. Een lijst met doelstellingen, verbeterpunten en/of wensen voor mijn leven:

– meer durven (ik doe mijn best)

- lekker eten (lukt goed, mits niet in het AMC en mits niet te misselijk van de chemo)
- veel tijd hebben (hm... moeilijk punt op de lijst)
- nieuwe, coole laarzen (die heb ik inmiddels! Gekocht in Florence afgelopen zomer)
- geen verplichtingen
- altijd de goede kleren aanhebben (heb ontdekt dat een joggingbroek en een groot vest soms de beste keuze zijn)
- een nieuwe tafel (check! Die hebben we afgelopen jaar gekocht. Veel aan gegeten en gezeten ook)
- leuke opdrachten (heb wel opdrachten, maar geen puf)
- liedjes opnemen en spelen met Emma Peel (wordt aan gewerkt)
- schrijven (dat ben ik aan het doen)
- vrienden hebben (die blijk ik gewoon allang te hebben!)
- lief gevonden worden (check!)
- tevreden zijn met mijn lijf (tja, wat moet ik met dit actiepunt?)
- Spaans kunnen verstaan (die Spanjaarden moeten maar gewoon wat langzamer praten hoor)
- me vrij voelen (ook een punt waar ik op dit moment niet zo goed raad mee weet. Misschien voel ik me wel al vrij. Ik voel me vrij te delen, te huilen, te kotsen, te omhelzen, te zeggen, te vragen)
- geen geldzorgen hebben (lekker belangrijk)
- voor mezelf opkomen op een goede manier (noodgedwongen doe ik dat nu steeds beter)
- een tuin hebben (lastig punt, nog steeds op driehoog)
- in de tuin zitten (af en toe bij iemand anders dan maar)

Verdere wensen op mijn lijstje (of nou ja, lijst) waren:
- een ligbad

- een hond
- kleinkinderen
- van verdriet af
- nooit meer hoofdpijn hebben
- lenig en sterk zijn
- nooit meer down zijn
- gedichten schrijven
- weglopen als ik ergens geen zin in heb
- sterk en stoer zijn
- sterk en stoer gevonden worden
- gezond zijn
- een keer seks met iemand anders
- rust aan mijn kop
- opgeruimd huis (haha!)
- het hele jaar vakantie
- feestje geven en veel mensen die komen
- iemands beste vriendin zijn
- niet bang zijn
- van mijn ouders af
- boek schrijven
- mijn verhalen uitwerken
- filmscript afmaken
- lief zijn
- altijd opgewekt en optimistisch
- een volle ijskast
- gezond eten

Ik zie dat ik indertijd een punt ben vergeten: oud worden. Het slechtnieuwsgesprek bij de maag-darm-leverarts leverde in vijf minuten minstens zoveel inzicht in wat belangrijke zaken voor me zijn als jarenlang vrijblijvend over mijn toekomst nadenken. Drie kernwaarden zijn belangrijk, in mijn leven en in het algemeen:

1   mezelf zijn. Daaronder valt eerlijk zijn, echt zijn, loyaal zijn. Trouw zijn aan je eigen mening en smaak, maar ook openstaan voor andere mensen en hun visie. Moeilijke beslissingen naar eer en geweten nemen. Rechtvaardig zijn.
2   flexibel en creatief zijn: is misschien niet altijd hetzelfde, maar voor mijn gevoel onlosmakelijk met elkaar verbonden. Ik heb een gruwelijke hekel aan starre mensen of mensen die bij alles alleen maar problemen zien en mitsen en maren te berde brengen. Misschien dat optimisme hier ook wel bij hoort, of is optimisme gewoon een creatieve kijk op de werkelijkheid? En humor, dat is onontbeerlijk bij flexibel zijn.
3   vrij zijn: om te kiezen, om te doen wat je wilt en wanneer je wilt. Dat is heel fijn van eigen baas zijn, omdat je in zekere mate zelf kunt bepalen wat je wel en niet doet en wanneer. Een beetje. Vrijheid heeft ook te maken met vertrouwen; vertrouw me maar, ik doe het op mijn manier, in mijn tempo, maar je krijgt het gegarandeerd en goed, als je me met rust laat en me mijn gang laat gaan. En dan krijg je het ook nog op tijd. Niet alleen opdrachten maar ook afspraken in het algemeen. Vrij zijn en vertrouwen dus. Vertrouwen hoort ook bij 'jezelf zijn' of jezelf kunnen zijn. En vertrouwen is voor mij synoniem met respect.

Vervolgens vroeg ik me af waar de liefde dan komt. Ik schrok ervan dat ik liefde niet in mijn top drie van waarden had genoteerd, maar bedacht toen dat liefde verweven zit in de waarden die ik hoogacht. Als ik naar Klaas kijk zie ik ze allemaal in één mens verenigd. De som van eerlijk en echt, flexibel en creatief, vertrouwen hebben en geven, tegelijk vrij zijn én heel erg samen. Sinds dat slechtnieuwsgesprek misschien nog wel meer dan ooit daarvoor.

Het gezin

Tijdens mijn late puberteit was er een aantal gezinnen waar ik met grote regelmaat kwam. Er was het gezin van vriendin T., wier moeder onze wilde plannen (liften naar Parijs) altijd probeerde te temperen en ons vertelde dat we alles 'eerst maar even moesten laten bezinken' voor we een plan ten uitvoer zouden brengen. T. en ik vonden dat maar hinderlijk, en maakten er al bij voorbaat grapjes over, maar later – en ik denk onbewust toen ook al – realiseerde ik me dat haar moeder dat deed om ons te beschermen.

Daar stond tegenover dat ze wel luisterde naar mijn eerste zelfgeschreven en opgenomen liedje en er diep van onder de indruk was dat ik dat had gemaakt. Bij mij thuis kwam er alleen een schampere opmerking over de (inderdaad) erbarmelijke geluidskwaliteit van het cassettebandje.

De vader van T. omhelsde mij een keer omdat dat 'af en toe gewoon moest' en ik wist werkelijk niet wat me overkwam; zomaar knuffelen, dat kende ik niet. Toen ik dat later thuis op mijn eigen vader uitprobeerde, werkte het helemaal niet en voelden we ons allebei vreselijk ongemakkelijk.

Bij vriendin I. werd enorm aan huisvlijt gedaan: haar vader bewerkte hout en schilderde iconen, haar moeder spon zelf wol en weefde kleden. Heel huiselijk en ouderwets. Ik herinner me nu ook dat als ik daar bleef eten, iedereen elkaars handen vastpakte en ze elkaar bedankten. Misschien klef, maar ik vond het heerlijk. De vader van I. maakte zich boos over mijn ouders als ik weer eens met mijn ziel onder mijn arm aankwam: mijn moeder die alweer dagen niet tegen me sprak. En ik mocht meedoen met hun sinterklaassurpriseavond. Dat vond ik echt fantastisch, surprises voor elkaar maken. Omdat ik het enige kind in ons gezin en zelfs de hele familie was, vonden mijn ouders sinterklaas, sinds ik van mijn geloof was gevallen, niet echt meer aanleiding voor een feest. Het geweven kleed dat ik bij vriendin I. van Sinterklaas kreeg, heb ik jarenlang in mijn kamer en later in mijn huis gekoesterd.

Bij vriendin A. werd in de huiskamer door ouders en kinderen gezamenlijk een cryptogram gemaakt of gelezen. Soms maakten ze samen muziek en zongen ze (en keek ik verlegen toe omdat ik nog niet durfde te zingen in het openbaar). Er werden geweldige paasontbijten en kerstdiners met speciale gerechten geserveerd op feestelijk servies. Of we keken met zijn allen tv; niet als behang voor onder het eten zoals bij ons thuis met ons bordje op schoot, maar om écht naar een programma te kijken, omdat het leuk of interessant was.

Bij vriendin C. werden de ouders bij hun voornaam genoemd, wat ik echt een openbaring vond: je ouders als gelijken aanspreken! Ook dat heb ik thuis een tijdje geprobeerd (wel met andere voornamen natuurlijk), maar met evenveel succes als met het omhelzen. Er werd bij C. ook openlijk over alles gesproken en gewoon geluisterd naar wat de kinderen te zeggen hadden.

Deze ouders en gezinnen hebben mij enorm geholpen bij het vormen van een idee over een leuker en rijker gezinsleven dan ik tot dan toe kende. Ik heb er goede herinneringen aan. Misschien niet geheel toevallig dat drie van de genoemde gezinnen drie kinderen hebben trouwens; dat zal wel hebben meegespeeld bij het creëren mijn eigen ideale gezinssamenstelling.

Bibian rocks

Er zijn ook veel leuke dingen die op je pad komen als je ongeneeslijk ziek bent. Nu ik me fris en monter voel in het chemovrije stukje van een dag of vier tussen de kuren, zie ik het heel duidelijk: zelfs in deze moeilijke periode maak ik nieuwe vrienden (of vind ik oude terug en worden goede vrienden nog betere) en vóél ik bijna hoe ik in emotioneel opzicht groei. Het zal naar ik aanneem nog niet het effect zijn van de Tibetaanse mantra die I. mij gisteren heeft toevertrouwd, maar het effect van de kracht van alle liefde en steun die ik ontvang.

Dat klinkt misschien erg klef, maar ik voel me als een ballonnetje dat wordt opgeblazen met goede gedachten, liefde en warmte. Het maakt mij lichter (en ja, ik ben de laatste twee maanden ook letterlijk een paar kilo lichter geworden, maar dat bedoel ik niet). Iemand schreef me dat ze het zo bijzonder vindt dat ik van deze rotsituatie iets waardevols maak (of dat in ieder geval probeer), maar waar het in feite op neerkomt is dat Klaas, Valentijn, Swip, Lulu en alle vrienden mijn leven waardevol maken door er in deze situatie voor me te zijn.

Ik hoop met mijn verhalen en met alles wat ik nog ga doen – en ik heb nog veel plannen! – mensen aan het denken te zetten over het leven in het algemeen, en over hun eigen leven. Stel niet uit tot morgen wat je vandaag kunt doen. Niet uit calvinisme, maar omdat je niet weet wat morgen brengt.

Vanmiddag was ik in de studio met ons bandje Emma Peel. Klaas en drummer Alan hadden het drumstel en de versterkers al neergezet en ik hoefde alleen maar in te pluggen. Dat is het betere rocksterrenleven!

Het was heel vertrouwd om weer in de studio in Weesp te zijn, maar tegelijkertijd heel gek. Dat stomme stemmetje in mijn hoofd: geniet er maar extra van, want dit is misschien wel de laatste keer. En melodramatische gedachten: ik herinner me nog dat ik hier aan het opnemen was en net zwanger was van Lulu. Het was fysiek zwaar, niet in de laatste plaats omdat ik de afgelopen twee maanden nauwelijks basgitaar heb gespeeld en bij het vijfde nummer al een dikke blaar op mijn middelvinger had. Verder had ik het gevoel dat ik nog-al gejaagd aan het spelen was – ik dacht bij mezelf: dat komt natuurlijk doordat de dood me op de hielen zit. Ik wou dat ik mijn hoofd soms even kon uitzetten, want probeer maar eens relaxed te bassen bij die gedachte.

Klaas had het er ook erg moeilijk mee en het maakte de middag zwaar en beladen. Ik hoop dat, als we morgenmiddag verdergaan, we ons meer aan het spelen kunnen overgeven. En dat ik dan kan verdwijnen in muziek maken, want ik weet uit ervaring dat dat mogelijk is. Alles om je heen, al je zorgen, alles even vergeten omdat je muziek maakt. Een beetje dat gevoel dat je soms hebt als je 's ochtends net wakker bent. Een vredige en gelukzalige leegte. Als een ballonnetje dat opstijgt.

Bassen, blaren en ander leed

Twee dagen opgenomen in de studio. Het ene moment zat ik heel geconcentreerd te bassen, en dan opeens, halverwege de opname van een nummer, dwalen mijn gedachten af naar de CT-scan die afgelopen week eigenlijk gemaakt had moe-ten worden, maar door onduidelijke oorzaken niet ingepland bleek. Het refrein, opgelet! Hier begint het refrein. Hoe kun-nen ze nou vergeten die scan in te plannen? De scan waarop te zien zal zijn of de chemo aanslaat of niet? Was dit nou de eer-ste keer of de tweede keer dat we het refrein hebben gespeeld? O, dat was een fijne gitaarriedel die Klaas daar speelde!

Het bassen viel me fysiek weer zwaar, maar we hebben wel elf nummers opgenomen. Ik heb niet gezongen, dat zal nog een emotionele aangelegenheid worden, vrees ik. Som-mige teksten kreeg ik tijdens het doorspelen van onze liedjes al nauwelijks mijn strot uit. Het lijkt wel of al mijn teksten over doodgaan of alles kwijtraken gaan, terwijl ik me tijdens het schrijven nog van geen kwaad bewust was. Ik vraag me af of het in mijn onderbewuste al speelde – wist ik meer dan ik dacht?

Ik moet nog een paar teksten afmaken, eens kijken of ik er hier of daar nog een vrolijke draai aan kan geven. Al is er niks mis met droevige muziek en teksten, natuurlijk.

Halverwege de sessie ben ik boven even op de bank gaan liggen. Goed voorbereid als we waren, hadden we behalve bassen en gitaren ook een slaapzak meegenomen. Ik heb wat gedoezeld, maar slapen lukte niet echt – geen wonder, want probeer maar eens te slapen als er iemand onder je op een koebel aan het spelen is. Ik lag te staren naar het kleine ronde boerderijraampje met bloemmotief, vlak onder de punt van het dak. Het werd schemerig achter het glas, en ik werd zo verdrietig van dat raampje waarachter het steeds donkerder werd; het voelde alsof ik opgebaard lag in een kapelletje.

Ik ben wel zwaar gestraft. Na die twee intensieve dagen had ik gisteren een bonkend hoofd: een ouderwets vertrouwde migraineaanval. Mijn eigen grenzen kennen, het is niet mijn sterkste eigenschap, geloof ik.

Deadline

Vandaag is iedereen weer naar school. Even slikken dat de wekker weer om kwart voor zeven gaat, maar ook wel fijn dat er weer regelmaat is en het gevoel dat een normaal leven lonkt.

Om negen uur meteen gebeld naar het AMC over de CT-scan. Kan die niet eerder dan donderdag? Oncologisch verpleegkundige M. gaat ernaar kijken. Ondertussen is er bezoek voor een interview over Emma Peel voor de internetradioshow *Wreck This Mess*. Fijn om te vertellen over ons bandje in plaats van na te denken over CT-scans. Niet dat ik er helemaal niet aan dacht. Integendeel, ik keek voortdurend met een schuin oog naar mijn iPhone – belt het AMC al terug? Na afloop van het interview zelf maar weer gebeld.

Goed, ik heb een afspraak voor de CT-scan: morgenmiddag. Ik moet me een uur van tevoren melden en contrastvloeistof ophalen, bloed laten prikken, en na de scan kunnen we bij de oncoloog terecht voor de bespreking. Dichtgeknepen keel. Licht prikkelbaar. Draaierig als ik erover probeer na te denken. Neiging tot gillen. Behoefte om te gaan slapen en pas wakker te worden als het voorbij is. Kortom, nerveus.

Ik probeer mezelf gerust te stellen: ik voel me prima, ik heb vanochtend een half uur stevig doorgefietst op de hometrainer, ik heb minder buikpijn de afgelopen dagen, ik zie er goed uit en ik eet goed en veel de laatste week. Of zie ik er juist moe uit? Verbeeld ik me alleen maar dat ik minder pijn heb omdat ik dat graag wil? Wat voel ik nu, is dat een nieuwe pijn of had ik dat vroeger ook weleens, zo'n gevoel in mijn zij? Is mijn behoefte om bijna continu te willen eten goed of juist heel zorgelijk?

Ik voel me verlamd en kom tot niks. Beetje kletsen voor zo'n radio-interview dat lukt wel, maar ik moet nog zoveel afmaken, allemaal dingen die ik heb laten liggen omdat het op dat moment niet belangrijk leek. Omdat het altijd nog kon. Maanden geleden ben ik begonnen aan een kinderboek, *De patatpiraten*, dat manuscript kwam ik toevallig tegen. Nou ja, niet toevallig, ik ben van alles aan het uitzoeken en ordenen om te voorkomen dat straks als... nou ja, dat het later niet zoveel werk is voor iemand anders. Ik heb wat ik tot nu toe heb geschreven voorgelezen aan Lulu en Swip, die het heel grappig vonden en heel benieuwd zijn hoe het verdergaat met de Patatpiraten. Ja, ik ook.

Verder ben ik met een fotoboek bezig van het tripje dat ik naar Londen maakte met Swip ter gelegenheid van zijn tiende verjaardag.

Ook nog een Spanje-vakantieboek dat af moet, zelfs twee vormgeefopdrachten waar ik nog een paar dingetjes aan moet doen. Maar hoe wrang, ik kan niet meer tegen deadlines! Verder een paar teksten voor liedjes afmaken, brieven schrijven aan de kinderen met klassieke adviezen – orakelachtige adviezen voor diverse gelegenheden geschikt ('Een reis van duizend mijl begint met één stap' of 'Blijf trouw aan jezelf, ook als dat soms moeilijk is') – die de kindertjes tot op hoge leeftijd kunnen lezen en dan bij zichzelf denken: wat een goed advies van mama!

Het advies van vandaag: kinderen, doe wat je leuk vindt, stel het niet uit, maar doe het nu, doe het goed en maak het af! Doe niet zo stom als je moeder, die eerst met honderd andere dingen begon voordat ze ging doen wat ze moest doen: schrijven, zingen en intens leven.

Waardig

Ik probeer na te denken over het einde. Mijn einde. Zonder pessimistisch te zijn. Ik wil, nee, ik móét besluiten hoe ik het wil. Ik wil het graag op mijn manier doen. Op een zo prettig mogelijke manier. 'Waardig' is een woord dat altijd om de hoek komt kijken als mensen praten over doodgaan, maar dat klinkt zo zwaar en plastisch en abstract. Waardig suggereert dat je je beste pak of mooiste jurk aanhebt en met kleine, ogenschijnlijk weloverwogen stapjes naar voren schrijdt, over een plein door een haag van joelende, gillende mensen, op weg naar de galg of naar het altaar. Terwijl je natuurlijk ook heel goed met stevige, licht opgewonden tred, zwaaiend, kushandjes uitdelend, misschien zelfs een fout knipoogje hier of daar, het laatste stuk kunt afleggen. Ik weet niet of dat waardig is, maar het is wel leuker.

Ik las vandaag over een arts die hoorde dat hij pancreaskanker had. Hij sloot zijn praktijk, ging naar huis en weigerde levensverlengende behandelingen en medicijnen. Hij wilde alleen maar tijd met zijn familie en vrienden doorbrengen en zich zo lang mogelijk zo goed mogelijk voelen. Niet een langer leven met chemo, ten koste van kwaliteit van zijn leven. Dat klinkt heel goed en verstandig, denk ik dan. Ik wil die afweging ook kunnen maken.

Wat zijn de verwachtingen als ik niets doe? Hoeveel maanden resten mij dan? En ik weet: het is allemaal puur statistisch, geen patiënt is hetzelfde, elke tumor is uniek. Maar ongeveer? Wat is de insteek van de oncoloog? Raadt hij me de chemo aan omdat die mijn leven met 'een gemiddelde van vijf maanden' verlengt en maakt het hem niet uit of ik die 'extra tijd' kotsend, kruipend, huilend en wanhopig doorbreng? Omdat het zo goed staat in de statistieken?

Hoeveel inbreng kan ik zelf 'veilig' leveren? Ik ben geen expert, althans niet wat betreft de technische kant van pancreaskanker en bijbehorende chemo's, maar ik ben op het gebied van bijkomende gevoelens, gedachten en bijwerkingen wel een autoriteit aan het worden. Als ik de chemo een paar dagen wil uitstellen, is dat dan kwalijk of gevaarlijk? Het lijkt me niet: de chemo werd in verband met Tweede Kerstdag ook een dagje uitgesteld, en nu de CT-scan zo laat is, is de chemo sowieso al drie dagen later. Hij staat nu gepland voor vrijdag aanstaande, maar ik wil me in het weekend niet beroerd en lamlendig voelen, juist als de kinderen vrij zijn. Wat mij betreft beginnen we 'gewoon' weer op maandag met de chemo, in het gewone ritme.

Na de scan en het gesprek vanmiddag is het allemaal weer

anders. Niks vrijdag chemo. En ook maandag geen chemo. Helemaal geen chemo meer. De chemo doet niets. Noppes. De uitzaaiingen zijn keihard verder gegroeid ondanks de heftige chemokuur. Ik zat een beetje wezenloos naar het beeldscherm te staren waarop dr. R. een van de uitzaaiingen aan het meten was. 'Ik heb niet veel tijd meer,' zei hij. En hij had het over mij.

We drongen aan op het tweede plan A, de Abraxane die *off label* kan worden voorgeschreven. Schoorvoetend beloofde hij morgen te bellen naar de opper-oncoloog (met wie we een expert-opiniongesprek hebben gehad) om die mogelijkheid met hem te bespreken.

Eenmaal thuis durfde ik bijna niet naar binnen, ik zag er zo tegen op om de kindertjes dit nieuws te vertellen. Ik heb op de gang met ze staan knuffelen en huilen. Vriendin E. was voor ons aan het koken, samen met vriendin H. Vriend E., die mee was naar het gesprek met de oncoloog, is ook mee naar huis gekomen, vindt dat we niet té somber moeten zijn. Dat Folfirinox is gewoon een standaardchemo, de Abraxane is veelbelovender. Dus plan A, de A van Abraxane.

En ik ga ervoor zorgen dat dit een ongelofelijk, gaaf, mooi jaar wordt! Een jaar om nooit te vergeten.

Een jaar zonder einde.

Een glansrol

Het is alsof ik in een toneelstuk zit. Ik speel een vrouw met een man en drie kinderen. De man en de kinderen zijn erg goed gecast. Schattige, eigenwijze kinderen, en een lieve man met karakteristieke wenkbrauwen. De vrouw hoort dat ze ongeneeslijk ziek is, maar blijft desondanks opgewekt en positief. Ze vertelt haar verhaal ernstig, maar wel gelardeerd met grapjes. Ze belt en mailt heel voortvarend naar mensen die haar misschien aan een veelbelovend medicijn kunnen helpen en ze gaat onvermoeibaar door met Haar Dingen doen. Zoals naar een film met haar kinderen en ze tot vervelens toe vertellen hoe leuk, mooi en bijzonder ze zijn en hoeveel ze van ze houdt (dit heeft te maken met haar eenzame jeugd met een vreselijke moeder die niet in staat bleek van haar te houden; daar kom je tijdens het toneelstuk langzaam iets meer over te weten).

Verder speelt ze liedjes met haar man (nee, het is echt geen musical!), van wie ze heel veel houdt, is ze aan het schrijven en zingen en kletst ze met haar vriendinnen. Ze vaart op de liefde en de hulp die ze krijgt van haar gezin, vrienden, kennissen en zelfs van onbekenden. De zee van liefde overvalt haar een beetje; zoveel liefde had ze niet verwacht. Nooit heeft ze gezien of begrepen dat mensen van haar hielden, al die tijd al. Het maakt haar sterk en krachtig. Het maakt dat ze bewust leeft in het hier en nu, dat ze kordaat met haar man kan praten over waardig sterven – met hier en daar natuurlijk een traan – en dat ze ervoor zorgt dat haar zaken op orde zijn voor als het moment daar is.

Het is een droomrol voor de op een Oscar geilende actrice: behalve schmieren in tranentrekkende scènes krijgt het personage de kans om te schitteren als een krachtige vrouw in een liefdevol gezin, én ook nog de mogelijkheid haar komische talenten tentoon te spreiden.

Een tragikomisch stuk. Het publiek kent de afloop al, en hoewel de actrice zich bewust lijkt van die afloop, is het tegendeel waar. 's Avonds in bed overvalt haar soms een bijna gelukzalig verdrietig gevoel: het is allemaal maar een grapje, morgen is het weer over. Of nee, dat ben ik die in bed ligt. Dat ben ik die uit haar rol valt. Ik moet dan zo hard huilen dat ik bang ben dat ik niet meer kan stoppen. Of dat de buren zullen komen klagen.

'All the world's a stage, and all the men and women merely players: they have their exits and their entrances; and one man in his time plays many parts, his acts being seven ages.' (Shakespeare, *As you like it*)

Ponderosa

De dag begon met migraine. De migraine was er gisteravond al, na een akelig telefoongesprek met mijn moeder. Ik raak van gesprekken met haar altijd in de war. Ze belt op, en nog voor ik heb opgenomen is ze al boos op me.

Het overkomt háár allemaal, en ze heeft het al zo moeilijk. Al zou het dichter bij de waarheid zijn om te zeggen dat ze het zichzelf moeilijk maakt. Ze is beledigd omdat ze vorige maand langs wilde komen op zondag en ik zei dat ik dat niet wilde. Liever op een doordeweekse dag. We proberen van zondag onze familiedag te maken, met zijn vijven te zijn. Iedereen begrijpt dat, maar zij niet. Want zij durft op doordeweekse dagen niet auto te rijden omdat ze vrachtwagens op de snelweg eng vindt. En met de trein is geen optie, want 'je hoort voortdurend in het nieuws hoeveel mensen er in de trein gemolesteerd worden'. Nu volg ik de afgelopen weken het nieuws nogal mondjesmaat (kwestie van verschuiven van aandacht), maar volgens mij kun je toch redelijk veilig met de NS reizen. Ik kan me in ieder geval niet meer herinneren wanneer de laatste keer is dat ik in de trein of op het station in elkaar geslagen ben.

Als ik zeg dat ze niet op zondag kan komen, zegt zij: 'Dus ik ben niet meer welkom.'

En dus heeft ze me ruim een maand niet meer gebeld.

Ik zeg dat ik misschien nog maar een paar maanden te leven heb.

'Ja, nou,' zegt ze, 'dat wist je in november toch ook al?'

Toen ik ophing, voelde ik de doffe stekende pijn al opkomen. Dwars door mijn oog. Maar eigenwijs dacht ik: een kopje thee, beetje schrijven en naar bed. Morgen is het wel weg.

Vanochtend heb ik alle afspraken voor vandaag afgezegd, ik had nergens meer zin in. Geen bezoek, geen fysio. Ik wilde alleen maar in bed liggen. Maar dat is vreselijk als je weet dat je tijd nog maar beperkt is. Dus, hup, mezelf uit bed gesleept. Douchen is heerlijk, en je tranen lijken te verdwijnen onder de douchestraal.

Vanmiddag gingen we een trui voor Klaas kopen. Net toen we afstapten, fietste een moeder van school voorbij. Ze stopte en we hadden een bijzonder gesprek – haar man is overleden en ik voelde daardoor een gekke verbondenheid (al zou Klaas meer een gevoel van herkenning moeten hebben). We stonden te huilen en te lachen en elkaar te omhelzen en het was eigenlijk heel fijn om midden op de Beethovenstraat een eilandje van troost en verdriet te zijn.

We waren allebei blij dat er in moeilijke tijden zoveel liefde naar boven komt. Want daar gaat het uiteindelijk toch om: liefde en warmte. Ik denk dat ik zonder al die liefde gillend gek zou zijn geworden. Liefde haalt de scherpe randjes van de pijn af, de emotionele pijn althans; de fysieke pijn wordt niet echt minder, zelfs niet met de huidige dosering pijnstillers.

Tijdloos

Lulu telt de dagen af tot haar verjaardag. Nog 58 dagen. Ze is opgewonden en roept verheugd: 'Dat is niet zo lang meer, hè?'

Mijn hart krimpt ineen als ze dat zegt. Ik stamel dat het nog best even duurt – in hemelsnaam zeg! – voor het zover is.

Soms gaat de tijd snel, soms langzaam, en soms gaat hij snel en langzaam tegelijk. Er schijnen een paar 'wetten' over tijds-beleving te zijn: tijd verstrijkt sneller naarmate je ouder wordt. Nieuwe ervaringen en onbekende plaatsen vertragen de tijd. Je ergens helemaal in verliezen versnelt die juist weer. En als je je verveelt kruipt de tijd. Om optimaal van mijn tijd te pro-fiteren zou ik me dus het beste vreselijk moeten vervelen – en dan ondertussen allemaal dingen afmaken en doen die ik graag wil doen.

De vijfde wetmatigheid is dat tijd langzaam gaat of zelfs stopt (yes!) als het bewuste denken buiten werking is. Zoals bij meditatie of bij een bezigheid die je helemaal opslokt, maar waarbij je observerende bewustzijn aanwezig blijft. Mediteren is nog nieuw terrein. En bij dat 'ergens in opgaan terwijl het observerend bewustzijn aanwezig blijft' denk ik meteen aan schrijven. Als ik schrijf kan ik mezelf, de ziekte, de situatie, de prognose, de zorgen en het verdriet bijna van een afstandje observeren. Misschien is schrijven een soort mediteren?

Ik vertelde aan een vriendin hoe ik panisch sommige din-gen wil afmaken, waarop ze zei dat ik, zelfs al zou ik negentig worden, waarschijnlijk nog steeds zou roepen dat ik nog lang niet klaar ben. Gewoon omdat ik dan weer met nieuwe dingen (tijd stopt!) en nieuwe plannen zou zijn begonnen.

Een andere vriendin adviseerde me een boek over tijd en tijdsbeleving. Mijn eerste gedachte was: ik heb helemaal geen tijd om dat boek te lezen! Maar misschien is het wel interes-sant. En levensverlengend, in de subjectieve beleving van tijd weliswaar.

Het lijkt in ieder geval belangrijk om uit het lineaire denken te stappen. Cirkelvormig over tijd denken. Eigenlijk gewoon 'bij de dag' leven. *Mindful* zijn – wie heeft het niet geprobeerd de afgelopen jaren?

Het grappige is, het gaat bijna vanzelf nu. Ik kan domweg niet meer vooruitplannen. Een afspraak maken voor volgende week donderdag is ridicuul. Misschien is er dan wel iets veel belangrijkers of iets mooiers. Mijn Google-agenda wordt een anachronisme: ik zet er soms nog een afspraak in, maar dan pas na afloop.

Ik had altijd al een hekel aan horloges en een grote afkeer van tikkende klokken. De Friese staartklok in onze gang loopt niet omdat ik woedend word van dat aanmatigende getiktak, en dat onheilspellende 'doing' elk half uur. En vooruit, onze staartklok loopt ook niet omdat-ie stuk is.

Nog 58 dagen en dan wordt Lulu zeven. Ik hoop dat het nog lang duurt. Nog heel, heel lang. Sorry, Lulu.

Setty

Sommige mensen zeggen tegen me dat ze het niet zouden aankunnen, de situatie waarin ik zit. Eerlijk gezegd zou ik dat drie maanden geleden ook hebben gezegd, en het is precies wat ik dacht toen we bij het eerste slechtnieuwsgesprek vandaan kwamen: dit kan ik niet aan.

Het is moeilijk je voor te stellen hoe sommige dingen of situaties zullen zijn als ze er niet of nog niet zijn. Zeker wanneer het situaties zijn die je je helemaal niet wílt voorstellen. Hoe voelt het om met je hand door een spijker te vallen? Hoe is het als je huis tot de grond is afgebrand? Hoe voelt het als je door het ijs bent gezakt en je niet meer weet of je naar het licht of donker moet zwemmen?

Toen ik zestien was, gebeurde er op de weg voor ons huis een ongeluk. Een harde klap en daarna stilte. Er was een nieuwe vluchtheuvel in het midden van de straat: sinds dat heuveltje geplaatst was, waren er al diverse automobilisten tegen het paaltje gereden. Dit keer was de klap zo hard dat ik naar buiten ging om te kijken. Er stonden al veel mensen.

Ik zag een rode Volvo-stationcar op de weg, met ingedeukte voorkant. De bestuurster lag nog voorin. Een tweede auto, zwaar beschadigd, lag half in de sloot naast de weg. De zwaailichten van de ambulances weerspiegelden in het water en schenen over de gezichten van de toeschouwers. Er werd iemand in een ambulance gelegd.

Naast de sloot, tussen de bomen aan de waterkant, lagen twee zwarte zakken. Het soort zakken dat ik weleens op televisie bij detectiveseries had gezien, bodybags. Dode mensen.

Een van de toeschouwers zei dat er in de auto een moeder met drie kinderen had gezeten. Ik probeerde me voor te stellen hoe erg dat was: een moeder met haar kinderen dood. Hoe dramatisch het ook klonk, ik kon er niet om huilen. Niet om die hopeloos verfrommelde auto en niet om die twee lijkzakken. Ik vroeg me af of ik er wel om zou kunnen huilen als het iemand zou zijn die ik kende. Enigszins verward lag ik hier later in mijn bed over na te denken.

De volgende dag belde een vriendin om te vragen of ik van het ongeluk had gehoord. Ik begon al te vertellen wat ik had gezien – recht voor onze deur! Een keiharde klap! – toen ze me vertelde dat een meisje uit onze klas in die auto had gezeten. Niet met haar moeder, maar met haar kleine broertje en zusje, en haar oudste zus achter het stuur. Ik ging op de trap zitten en was stil.

In een van die zwarte zakken aan de waterkant had Setty gelegen.

En daar was het antwoord op mijn vraag: ja, daar zou ik heel erg hard om kunnen huilen, als het iemand was die ik kende. Vreselijk hard zelfs.

Sommige dingen kun je je niet voorstellen, andere dingen wíl je je niet voorstellen. En weer andere dingen, die dienen zich ineens als werkelijkheid aan, en dan kun je je niet meer voorstellen dat het ooit anders was.

Troost

Vandaag was ik met Klaas op de crematie van een broer van een lieve vriendin. Het heeft iets ongemakkelijks om als ongeneeslijk zieke naar een crematie te gaan. Sommige mensen waren verbaasd me te zien. Wat doe jij hier nou?

De uitvaart was geregeld door een ondernemer wiens naam bij ons thuis ook al is gevallen. We hadden bedacht hem binnenkort maar eens te bellen. Gewoon, voor de zekerheid. Om eens te praten. Vrijblijvend. Ik heb een documentje aangemaakt met een paar aantekeningen en wensen. Zoals een zo eenvoudig mogelijke kist – is dat iets wat je aan iemand uit je vriendenkring kunt vragen om te maken, of is dat een heel ongezellige klusvraag? Ik heb al een website gevonden met de wettelijke eisen waaraan zelfgemaakte kisten moeten voldoen, inclusief de eisen voor de bekleding.

Ik opperde dat ik ook maar eens moest nadenken over orgaandonatie, of misschien zelfs mijn lichaam ter beschikking moet stellen aan de wetenschap. Interessant materiaal wellicht, met pancreastumor en migraineverleden. Dat vond Klaas te ver gaan, om daar zo over te praten, al voegde hij eraan toe dat hij met liefde voor me wilde uitzoeken hoe dat zit.

Bloemen, daar hebben we het ook over gehad toen we op weg naar de crematie een boeketje kochten. Ik wist even niet meer of je op het kaartje bij een boeket nou iets moet schrijven voor de overledene, of juist voor de nabestaanden. Ik twijfel ook altijd of oostenwind uit het oosten komt, of juist naar het oosten waait. Uiteindelijk is er altijd wel iemand die het antwoord weet op mijn vraag, en deze keer wist de mevrouw van de bloemenstal in de Linnaeusstraat het: oostenwind komt uit het oosten.

In de aula, die afgeladen vol was, zat ik me af te vragen of dit de zaal was waar ik mijn uitvaart zou willen. Wil. Klaas en ik zaten achter in de zaal, tegen de muur, een beetje verscholen. Ik vocht tegen mijn tranen; niet omdat ik me schaam om te huilen in het openbaar, maar omdat ik moest huilen om de gedachte dat straks Klaas en de kinderen in een aula zitten, zonder mij. Of wel met mij, maar tegelijkertijd ook weer niet.

De sprekers waren geëmotioneerd, maar zo nu en dan ook heel geestig. Dan werd er gelachen. Dat is goed, lachen. Er moet gelachen worden.

En er moet muziek gemaakt worden, niet alleen cd's gedraaid, maar live gespeeld. Ik moet een paar mensen vragen of ze willen komen spelen. Waarom applaudisseren mensen niet na een speech of lied? Het wordt zo plechtig en ernstig. Is een begrafenis duurder dan een crematie? Wat doen de kindertjes aan?

Het zou mooi zijn als er wat actie is. Dansen, ja dat is goed! Maar ook moet iedereen iets meezingen. Het is jammer dat ik niet gelovig ben, dan zou ik een paar fijne liturgische klassiekers uitkiezen die iedereen uit volle borst kan meezingen. Nu moet ik gaan nadenken over wereldlijke alternatieven.

Bij het condoleren schoten mensen vol als ze mij zagen. Ik werd stevig vastgegrepen en geknuffeld. Het voelde bijna alsof ik extra verdriet bracht, en dat terwijl ik juist troost wilde brengen.

'Voor contact over vergoedingen van behandelingen in het binnen- of buitenland, wachtlijstbemiddeling of vragen over second opinion kies een Een, voor vragen over declaraties kies Twee.'

Een.

'Al onze medewerkers zijn in gesprek, een ogenblik geduld alstublieft.'

'Goedemorgen, afdeling zorgservice.'

Ik krijg een vriendelijke medewerker aan de telefoon, die mij heel bereidwillig te woord staat. Hij wil me graag doorverbinden met de contactpersoon wier naam ik heb doorgekregen, maar ze is in gesprek. Kan hij vragen of ze terugbelt?

Ja, graag.

Dan zal hij even een notitie maken; kan ik in het kort vertellen waar het over gaat?

Ik vertel dat ik pancreaskanker heb, met uitzaaiingen en dat de chemo niet is aangeslagen.

Inmiddels heb ik het zo vaak verteld, gezegd, opgedreund, dat het bijna lijkt of ik vertel over een vakantiehuisje dat we hebben geboekt: midden in de natuur, met grote tuin en ligbad, niet al te ver van een middelgroot stadje. Ik word een geroutineerde kankerpatiënt. Behalve dan dat ik af en toe volschiet, iets wat ik met vertellen over vakantiehuisjes eigenlijk nooit heb.

Hoe dan ook, hij vindt het allemaal heel erg – hoe zei u, banceas? Nee, nee, pancreas. Mijn alvleesklier.

O, uw alvleesklier.

Ja, mijn alvleesklier.

Hij wenst me stamelend het allerbeste toe en belooft me dat ik binnen een uur zal worden teruggebeld.

Wat inderdaad gebeurt.

'Goedemiddag. Uw aanvraag is ontvangen, ja, dat kan ik hier in ons systeem zien. Ik zie dat we ook de brief met alle medische achtergrondinformatie hebben binnengekregen van uw specialist. Nee, ik kan helaas niet zien wat de status van de beoordeling is. Die zit in een ander systeem, daar kan ik helaas niet bij.

Ik begrijp dat u nog een keer belt om uw aanvraag onder de aandacht te brengen. Ja, ik heb gisteren de persoon die over de beoordeling gaat erop gewezen dat uw aanvraag compleet is. Ik verwacht dat u begin volgende week bericht krijgt.

U moet wel begrijpen dat wij aan allerlei wettelijke regels gebonden zijn bij het beoordelen van vergoedingen van medicijnen.

Mag ik u erop wijzen dat we een second opinion kunnen aanbieden? Die loopt via een centrale in Spanje. De wachttijd is ongeveer twee à drie maanden. Ik zal u de informatie mailen. Klopt het e-mailadres dat ik hier heb...?'

Waar het op neerkomt: als ik een behandeling met Abraxane in de Verenigde Staten krijg, mag de oncoloog – als ik na twee maanden weer naar Nederland kom – de behandeling hier voortzetten en het middel wel voorschrijven. Maar hij mag het medicijn niet voorschrijven als ik de behandeling hier wil beginnen. Omdat het nog in de onderzoeksfase is, voor pancreaskanker althans, want voor uitgezaaide borstkanker is het wél in Nederland geregistreerd (en mag het dus wel voorgeschreven worden, en wordt het wel vergoed).

Twee maanden naar Miami is geen optie: ik wil daar niet alleen heen, juist nu samen zijn met Klaas en de kinderen zo belangrijk is. Met zijn vijven gaan is ook niet erg realistisch, alleen al om financiële redenen.

Ik moet dus wachten of mijn verzekeringsmaatschappij, waarover ik gisteren toevallig hoorde dat ze een potje hebben van paar miljoen om boeken en publicaties uit te brengen, bereid is om het medicijn off label te vergoeden.

En al die tijd ligt de Abraxane volgens bronnen in het AMC gewoon op voorraad in de apotheek van het AMC. Ik hoor de ampullen al roepen: Bibiaaaan! Biiiibiiiiiaaaan!

Ophelia

Wel of geen Abraxane, dat is de vraag. Wachten, of nog meer actie ondernemen en nog eens bellen en mailen?

Vanmiddag was het even allemaal heel ver weg, want we waren in de studio. Zingen.

Zingen is zwaar en vermoeiend, maar ook heel rustgevend, omdat het totale concentratie vergt. Mijn ultieme mantra, en nog flexibel ook: er is een wereld vol liedjes die zich ervoor lenen.

Drie nummers gezongen vanmiddag. Zelfs een nummer dat ik tot nu toe niet heb kunnen zingen zonder te huilen, 'Ophelia'. Ze loopt zingend langs het water en snapt niet wat er is misgegaan met haar en Hamlet, met haar geluk. De tijd glipt door haar vingers. En we weten: het loopt niet goed af met haar. Dit is veel te dichtbij, opeens veel te veel uit het leven gegrepen. Maar het staat op band; dat nummer is vast binnen. Gezongen door een mooie microfoon uit de jaren dertig, zo eentje waar Judy Garland ook door heeft gezongen. *Somewhere over the rainbow...*

Morgenmiddag nog een paar nummers.

Ik ben eigenlijk zo ontzettend gelukkig. Het leven lijkt me toe te lachen: ik doe leuke dingen met Klaas, met de kinderen, ik lig op de nieuwe Fatboy met Lulu, kijk YouTube-filmpjes met de jongens, maak muziek, ik voel me zo sterk en geliefd door alle steun en hulp van vrienden, vriendinnen, kennissen, vage kennissen en zelfs van totaal onbekenden uit andere landen. Ja, ik ben heel gelukkig. Afgezien van die pancreaskanker dan.

Somewhere over the rainbow bluebirds fly,
birds fly over the rainbow, why then, oh why can't I?

Afscheid

Ik was er even van overtuigd dat ze op waren, mijn tranen. Al bijna 72 uur zonder één enkele traan.

Vanochtend was ik voor het eerst sinds bijna drie maanden op de redactie van *Medisch Contact*. Ik had al twee keer eerder een afspraak gemaakt, en weer afgezegd, maar nu voelde het alsof ik het wel aankon. De rit erheen met gelegenheidschauffeur F. was ontspannen, en we zijn het eindelijk eens: The Beatles zijn artistiek veel interessanter dan die Andere Band, musicals zijn in het gunstigste geval afschuwelijk, en Neil Young had beter nog een *Harvest* kunnen maken in plaats van onzinnige platen met Crazy Horse.

Ik kwam redelijk opgewekt het gebouw binnen. Of tenminste, dat probeerde ik. Maar mijn entree was raar. Veel omhelzingen, verraste uitroepen en tranen; tranen die ik probeerde te verhullen door de aandacht te vestigen op taartjes die ik had meegebracht om mijn bezoek iets feestelijks te geven.

Niet veel later zaten we aan de redactietafel, met koffie, thee en de taartjes. Het was net als bij een verjaardag van een van de redactieleden. Maar dit keer was er geen verjaardagsspeech en in plaats van de gebruikelijke chaos die na het verdelen van de taart meestal ontstaat aan tafel, met allerlei onderonsjes, bleef het gesprek centraal. Met een duidelijk gespreksonderwerp: Zieke Ik. En dit keer kon ik me niet verstoppen of stiekem van tafel wegsluipen om stilletjes achter mijn computer verder te werken.

Ook het einde van zo'n verjaardagsbijeenkomst, dat zich meestal vanzelf aankondigt – iemand staat op omdat er gebeld of geïnterviewd moet worden –, kwam nu niet.

Ik weet niet wie ooit heeft bedacht dat alle begin moeilijk is, maar eindes zijn ook niet makkelijk. Ik durfde niet zo goed als eerste op te staan en dat hadden blijkbaar meer mensen aan tafel. Ik dacht aan Lulu die bij onze telefoongesprekken vaak aftelt zodat we tegelijk kunnen ophangen, en ik stelde voor om allemaal tegelijk op te staan. Dat was natuurlijk net zo ongemakkelijk als gewoon als eerste opstaan, maar soms helpt het om ongemakkelijke situaties te benoemen.

Afscheid nemen is sowieso al verdrietig (zet mij op Schiphol neer en binnen vijf minuten sta ik te huilen om volslagen onbekenden die afscheid nemen van elkaar) en het liefst zou ik gewoon verdwijnen. *Beam me up.*

Er waren opnieuw omhelzingen en kussen. Ik werd er zo verdrietig van, dat ik na twee collega's besloot dat ik liever gewoon weg wilde gaan; niet iedereen persoonlijk dag zeggen, maar zwaaien, naar iedereen, in één keer, tot ziens, tot snel, dag!

En alsof er nog niet genoeg gehuild was, kreeg ik aan het eind van de dag te horen dat de verzekering mijn aanvraag tot vergoeding van Abraxane heeft afgewezen. Tijd voor een nieuwe doos tissues. Alle achterstand van de afgelopen 72 uur weer ruimschoots ingehaald.

Alles op een rijtje

Wij beraden ons hier thuis. We weten het even niet meer. Er zijn de volgende opties:

1 Niets doen. Dit is bij veel problemen in het verleden een goede methode gebleken: veel problemen, of potentiële problemen, lossen zich vanzelf op. Het komt-tijd-komt-raadprincipe. Geen bijwerkingen, geen haaruitval.

2 Beginnen met een chemokuur met Gemcitabine. Dat kan deze week al. Gemcitabine is de standaardchemo bij alvleesklierkanker. Aan een klein percentage patiënten in goede conditie geven ze in plaats daarvan Folfirinox – dat kreeg ik, maar het werkte niet bij mij. Abraxane wordt trouwens in combinatie met ditzelfde Gemcitabine gegeven. Elke week een half uurtje, de bijwerkingen zijn een lachertje vergeleken met die van Folfirinox, als ik het goed heb begrepen. Wel weer op en neer naar het AMC dus; bij het stoplicht naar de A10 word ik al nerveus. Ik voel me dan net als onze hond vroeger, die weigerde over te steken naar de dierendokter.

3 Een onderzoek met Abraxane en pancreaskanker in Europa vinden. Vooralsnog heeft onze rondvraag niets opgeleverd. De enige lopende onderzoeken lijken in de VS te zijn. En dan is de vraag of je aan zo'n onderzoek mag meedoen, want er wordt vaak geloot, of zoals de onderzoekers wat klinkender zeggen, het onderzoek is 'gerandomiseerd'.

4 Bezwaar maken tegen het besluit van de verzekering om Abraxane niet te vergoeden – de reden waarom mijn oncoloog het niet wil voorschrijven. We hebben contact met de advocaat van een organisatie die gespecialiseerd is in dit soort zaken.

5 Zelf aan Abraxane zien te komen. Het medicijn blijkt toch niet in de apotheek van het AMC te liggen. Het is ingewikkelder dan men dacht om eraan te komen als je niet aan een onderzoek meedoet. Mochten we toch aan Abraxane kunnen komen, dan moeten we ook nog een arts vinden die bereid is het toe te dienen.

6 Naar de Verenigde Staten gaan en daar een behandeling

beginnen. Deze route had ik in eerste instantie afgeschoten omdat ik daar niet twee maanden wil zitten, ver weg van ons eigen huis, onze natuurlijke biotoop, onze vrienden, school, poezen. Valentijn werd woedend toen ik zei dat ik het geen reële optie vind. Hij wil alles doen, ook twee maanden zonder zijn vrienden als mij dat helpt. Daar moest ik erg van huilen, en hij ook.

7   Een combinatie van meerdere van bovenstaande opties.
8   Een *third opinion* inwinnen om mij te helpen te besluiten.
9   Alles op een rijtje zetten en er een nachtje over slapen.

Engel

Ik stond in de keuken thee te zetten en realiseerde me opeens hoe raar ik het vind om er straks niet meer te zijn. Om gewoon weg te zijn. En het weg zijn is misschien niet eens wat me het meest dwarszit – hoewel ik graag overal bij ben, niets wil missen en me het liefst met alles bemoei –, maar meer nog dat ik me niet kan voorstellen dat ik niet meer weet hoe het hier verder gaat. 'Hier' niet alleen als in 'bij ons thuis', dat natuurlijk in de eerste plaats, maar ook in algemenere zin, hier in Nederland, op aarde.

De toekomst is natuurlijk altijd onzeker, voor iedereen, overal, maar om de een of andere reden vind ik het bijna niet te verkroppen dat de toekomst niet alleen ongewis is, maar dat ik haar ook niet meer zal meemaken. Hier zijn natuurlijk allerlei rationele bezwaren tegen in te brengen: geen enkel mens kan alle toekomst meemaken.

Het is een beetje zoals toen het uitging met mijn eerste vriendje. Ik was heel verdrietig omdat het uitging, teleurstelling, afwijzing, onzekerheid, maar ik was ook radeloos omdat ik nu niet meer wist hoe zijn leven verderging. Mijn leven zonder hem, daar kon ik me nog wel een voorstelling van maken, maar zijn leven zonder mij vond ik gek genoeg moeilijker voor te stellen. Mijn en zijn leven waren niet langer met elkaar verbonden, en de gedachte dat ik al snel niet meer zou weten wat hij deed, dacht of waarover hij droomde vond ik heel verontrustend en verdrietig. Ik voelde me een beetje bekocht: alsof de tijd die we samen waren geweest ongeldig werd verklaard en nutteloos was geworden.

Nu hoef ik me mijn leven zonder alles en iedereen die me lief is niet voor te stellen omdat ik er domweg niet meer zal zijn. Hier stuitte ik op een probleem. Ik ben een overtuigd atheïst; ik geloof niet in God, niet in reïncarnatie, niet in de hemel, niet in het walhalla, en ik denk dat als je dood bent, je gewoon dood bent en daar niks van merkt.

Maar nu, denkend aan de dood, voel ik er veel voor om een engel te worden. Eentje die rondhangt in huis bij Klaas en de kinderen – en ik zal dan proberen niet heel irritante fladdergeluiden te maken of constant met signalen zoals knipperende lampen of klepperende deuren de aandacht proberen te vestigen op mijn aanwezigheid. Ik zal heel zachtjes doen. Het enige wat ik wil, is er nog een beetje bij zijn als de toekomst zich voltrekt. En, als dat kan, misschien hier of daar eens de toekomst een handje helpen. (En nee, niet bij slecht voorbereide boekbesprekingen, Swip, die moet je gewoon zelf doen. En ik zal ook niet eng vanuit de afzuigkap gaan fluisteren dat Klaas niet zoveel Spaanse peper moet gebruiken in de pastasaus.) Gewoon, omdat ik het nog lang niet kan loslaten, de toekomst. De toekomst van Klaas en de kinderen, zonder mij.

Het leven.

Mijn leven.

Het antwoord

Vanochtend een gesprek met de oncoloog. Over Gemcitabine, de andere chemokuur. Hij zei dat hij de afgelopen week van over de hele wereld telefoontjes over mij had gekregen. Het was me niet helemaal duidelijk of hij daarover geïrriteerd was of ervan onder de indruk.

We hebben geluidstherapie (UMC) en hyperthermie (AMC) besproken, maar beide behandelingen zijn lokaal en werken niet bij uitgezaaide kanker. De oncoloog benadrukte dat het echt onmogelijk is om zelf aan Abraxane te komen. En dat hij het medicijn sowieso niet kan toedienen om medisch-ethische redenen, vanwege wetgeving en onvoldoende wetenschappelijk bewijs dat dit medicijn ook daadwerkelijk aanslaat.

Toen het gesprek net afgelopen was en ik naar de polikliniek ging voor de toediening van Gemcitabine, gebeurde dat wat onmogelijk zou zijn: we kregen plotseling een doos ampullen Abraxane in handen gedrukt. Ik heb dus Het Medicijn. De ampullen Abraxane. Ze liggen hier in de ijskast. Beduusd zaten we in de wachtkamer bij te komen en te praten. Na een kort conclaaf met Klaas en onze vriend E., die biochemie gestudeerd heeft, besloten we om in ieder geval met de Gemcitabine te beginnen (de verpleegster kwam al ongeduldig kijken waar ik bleef) en het probleem van de toediening van Abraxane even voor ons uit te schuiven. Dat moet toch wel op te lossen zijn.

Het infuus met chemo duurde maar een half uur. Helemaal niets vergeleken met de Folfirinox van 56 uur, al waren we met prikken, doorspoelen en schoonspoelen toch een dik uur zoet. Ik kreeg meteen weer dat onrustige gevoel in het ziekenhuisbed, en werd acuut doodmoe van de chemo. Het leek wel alsof alle levenskracht en alle energie uit me wegstroomden.

Weer thuis dreigde een paniekaanval die met een oxazepam de kop is ingedrukt. Ik wil dit niet, galmde het in mijn hoofd, dwars door alle andere vragen, gedachten en halve dromen.

Verder de hele middag geslapen. Vriendin H. kwam mijn hand vasthouden, en ik wilde tegen haar praten, maar het enige wat ik kon zeggen was 'mmmm' of 'nngggg'. Dan zei ze 'sssss' of kneep ze in mijn hand. Toen ik tegen zessen weer op was, heb ik half doezelend op de bank gelegen, onder de liefdeslapjesdeken. Dat is een prachtige deken die een heleboel vriendinnen samen hebben gemaakt: iedereen heeft een lapje gebreid, en daarna hebben ze al die lapjes aan elkaar genaaid en de liefdesdeken aan ons vijven gegeven.

Dit is nog maar het resultaat van de 'lichte' chemo. Die Abraxane die er dan bij moet is veel heftiger, met veel meer bijwerkingen. Ik voel me nu al een dweil, een slappe lappenpop. Een verschil van dag en nacht met hoe ik gisteren was en hoe ik me voelde. Ik zie het ook aan Klaas: hij kijkt met een zorgelijke, ongeruste blik naar me.

De vraag rijst weer in mijn overvolle hoofd: wil ik dit wel? De Abraxane zal me niet genezen, alleen mijn leven verlengen. Maar tegen welke prijs? Hoe ziek word ik ervan? Wil ik nog meer chemo, of wil ik leven zoals ik me de afgelopen twee weken voelde? Moe en verdrietig, maar ook enthousiast en actief. Muziek maken, zingen, praten, eten, lachen, schrijven.

De hele wereld lijkt in rep en roer, en ik weet nog steeds niet wat ik wil.

Ik geloof dat het antwoord op de vraag er al is, op iedere vraag, ook als je zelf denkt dat je het nog niet weet. Het antwoord ligt ergens verscholen en wordt langzaam zichtbaar door wat mensen om je heen zeggen, schrijven en denken. En door wat ik zelf zeg, schrijf en denk. Ik lig op de bank en wacht af wanneer het antwoord zich opdringt. Want het antwoord is er dus al, alleen weet ik dat nog niet.

Naar Amsterdam

Twintig jaar geleden ging mijn opa dood. Hij had een tumor in zijn nek ter grootte van een grapefruit, die er zelfs voor een leek ongeneeslijk uitzag. Het weerhield hem er niet van zijn Caballero's zonder filter te blijven roken in de conversatieruimte van het verzorgingstehuis. Precies een week nadat hij overleden was, stierf onze hond Misty. Een paar weken later zat ik met mijn moeder in een Grieks restaurantje in Hoofddorp. Ze was met mijn vader mee geweest op reis naar Uruguay; hij bleef daar nog langer voor zaken. Terwijl we moussaka en souvlaki aten, hadden we het over haar overleden vader en over Misty.

Ze vertelde dat zij en mijn vader plannen hadden om naar Uruguay te verhuizen, nu er niets meer was wat haar aan Nederland bond. Ik schrok van de mededeling, omdat ik wanhopig zweefde tussen eindexamen en studeren en me onzeker voelde over alles. Maar vooral omdat ik blijkbaar geen reden was om te blijven. Ik staarde glazig naar de letters op het raam: ABROZ, en barstte toen in snikken uit. Mijn moeder was verbaasd en zei dat ik toch mijn eigen boontjes wel kon doppen. De sirtaki pingelde onverdroten voort uit de speakers en de Dorische zuiltjes waren van plastic, zag ik bij nadere bestudering. De ober kwam vragen of alles had gesmaakt.

Ik hoorde niets meer over het emigratieplan tot ik een half jaar later, inmiddels begonnen met mijn studie, op zoek was naar een kamer in Amsterdam. Ik was gaan kijken bij een hospita. De 'kamer' was een door een gordijn afgebakend hoekje van haar woonkamer, en het huis stonk naar kattenpis. Dat had ongetwijfeld te maken met de vele katten die rondliepen in haar woning, en die zich bovendien niet door gordijnen lieten tegenhouden.

Teleurgesteld kwam ik thuis en zei zuchtend dat deze kamer het ook niet was.

Mijn vader zei van achter zijn krant dat 'daar wel iets op verzonnen moest worden'.

'Hoezo?' vroeg ik.

'Je moeder en ik hebben plannen om naar Lanzarote te verhuizen.'

Ik was, net als in het Griekse restaurant, uit het veld geslagen, maar wilde dat niet laten merken. Nonchalant vroeg ik dus: 'O, enne... is dat een plan dat speelt op de lange of korte termijn?'

'Dat is wel lange termijn,' zei mijn vader, 'ergens in april of mei.'

Dat gaf mij dus nog vijf maanden om een kamer te vinden en aan het idee te wennen.

Begin mei zat ik op mijn eerste kamer aan de Elandsgracht. Via mijn ouders – eerlijk is eerlijk – had ik een zolder gevonden. Ik lag in mijn bed en hoefde enkel nog maar te wennen aan het idee dat ik alleen in Amsterdam woonde.

Grafstemming

En zo zit ik opeens 's avonds, als de kinderen in bed liggen, te surfen op het net, op zoek naar een grafkist. Ik heb een tekstdocumentje aangemaakt met 'wensen', hoe ik het wil. Terwijl ik dit schrijf realiseer ik me wat een onzin dat is, 'hoe ik het wil'. Ik wil het helemaal niet! Ik wil helemaal niet begraven worden met livemuziek, droomvliegers en ballonnen, hapjes, drankjes en voorgedragen gedichten zoals 'Hope is the thing with feathers', en een door iedereen meegezongen tearjerker.

Ik wil het niet. Ik wil het niet!

Volgens psychologen en coaches moet je wensen niet negatief formuleren, maar juist positief. Dus niet: ik wil niet dood (een gedachte die maar moeilijk uit mijn hoofd gaat), maar wel: ik wil blijven. Leven. Ik wil blijven leven.

Dus. Hallo! Luistert er iemand? Ik wil blijven leven!

Ondertussen moet ik wel de aardse, praktische zaken regelen, zoals een testament, voogdijschap en dus een kist. Massief eiken, wit eiken, riet, spaanplaat – de meeste zijn echt spuuglelijk.

Een beetje ongemakkelijk: 'Eh, Klaas, wat vind je van deze kist?'

'Ja, die staat je misschien wel leuk,' is ook niet helemaal het antwoord dat ik wil horen.

Zo simpel mogelijk wil ik hem. In de dood zijn alle mensen gelijk tenslotte.

Een milieuvriendelijke kist van gerecycled papier, dat is misschien wel wat. Hij ziet er een beetje uit als een skibox, maar je kunt de kleur en beschildering naar wens aanpassen, en hij is volledig biologisch afbreekbaar. Beetje te hip misschien.

Bij navraag blijkt de Ecopod niet meer in Nederland geleverd te worden; er is te weinig vraag naar deze ecologische kist.

Hier een mooie van sloophout, dat is ook wel aardig.

Hoe zou dat eigenlijk zitten met de levertijd?

En wat moet ik in hemelsnaam aan als ik in die kist lig?

Februari 2012

Op reis

Het is nog ver weg, maar ik heb een enorm zomervakantiege-
voel. Ik probeer voor we vertrekken altijd zo veel mogelijk af
te krijgen en op te ruimen. Ik probeer ons huis te bekijken door
de ogen van een ander, de oppas of, zoals afgelopen zomer,
ons huizenruilgezin.

Weer nieuwe opbergdozen bij de Hema kopen (waar blijven
al die dozen toch?) en de boel ordenen. De keukenkasten uit-
spitten (heb ik die koekjesspuit ooit gebruikt en moet dat ver-
giet met afgebroken handvatten niet eens weg? Of misschien
is dat nog handig voor in het kampeerkrat?), de kledingkasten
opruimen (heb ik deze rok het afgelopen decennium aange-
had? – Pas ik hem überhaupt nog?) en alles keurig opvouwen
(het resultaat is meestal maar een beperkt aantal dagen zichtbaar), kinderkleren kritisch bekijken (Valentijn past een shirt
maat 110 echt niet meer en eigenlijk is er niemand in huis die
het nog past).

Het levert elke zomer minstens vier vuilniszakken overbo-
dige ballast op. Daarna het huis eens een keer grondig schoon-
maken. Oók de bovenste plank in de stellingkast in de gang,
en zelfs onder de ladekast in de kinderkamer (daar is het ver-
miste gedroogde kikkertje!). En ondertussen nog opdrachten
afmaken, mailtjes beantwoorden die al vier maanden in mijn
mailbox gemarkeerd staan, mijn bureau opruimen, adminis-

tratieve lijken uit mijn postbakje vissen en alsnog afhandelen (een methode is: in de prullenbak gooien en hopen dat er nooit meer iemand naar vraagt).

Soms bekroop me dan het gevoel dat het wel leek alsof ik nooit meer terug zou komen, en dat ik alles overzichtelijk en supernetjes wilde achterlaten.

Die ene week voor de zomervakantie, als we vijf of zes weken met zijn vijven op pad gaan in ons busje, dat is mijn ultieme opruim-, orden- en afmaakweek.

En nu lijkt het wel of mijn hele leven één grote opruim-, orden- en afmaakweek is. Afgelopen week mijn klerenkast opgeruimd met vriendin H. Stapeltje wat weg kan, stapeltje voor Lulu later, stapeltje met nog nader te bepalen bestemming. Zomerjurkjes waren heikel punt. Ik zag ze, en hoopte dat ik ze allemaal nog een keer zal aantrekken, komende zomer.

Mijn dagboeken, oude agenda's, aantekeningen, kladjes, schriftjes, inspiratieknipsels, brieven, bestanden op mijn macje – normaal gesproken vroeg ik me af: is dit leuk om te bewaren en ga ik hier later nog iets mee doen? Ga ik dit later nog eens bekijken? Nu vraag ik me af wie het gaat bekijken, en of ik niet een fikse voorselectie moet maken en een heleboel moet weggooien om anderen straks een hoop werk te besparen. Ik ruim op voor vertrek, maar ik ga helemaal nergens heen.

Grijze haren

Als je ongeneeslijk ziek bent, dienen zich allerlei nieuwe vraagstukken aan. Grote, belanghebbende vragen als: wat is er na de dood? In dit specifieke geval: mijn dood. Wat weer de vraag oproept: is het voor iedereen hetzelfde na de dood? Of is er dat waarin je gelooft of waarvan je overtuigd bent?

Maar ook vragen van wat praktischer aard. Is het overmoedig om een halfjaarpakket lenzen te bestellen? Moet ik een afspraak bij de tandarts maken voor controle? Zal ik de oproep voor het uitstrijkje maar laten schieten? Moet ik mijn haar verven?

Toen ik mijn doodvonnis net had gekregen, waren grijze haren de minste van mijn zorgen. En misschien is het wel vragen om problemen als je naast een heftige chemo, met als veelgenoemde bijwerking haaruitval, je haar chemisch met L'Oreal recital 4.15 Caracas – diep kastanjebruin – behandelt. Is het trouwens wel zinnig je haar te verven als het vervolgens uitvalt en je kaal wordt? (En ja: kaal is natuurlijk ook een adequate oplossing voor grijze haren.)

Het is bijna niet te geloven dat ik me dit afvraag, maar moet ik mijn benen ontharen? Net zoals ik elke dag twijfel over wat ik zal aantrekken, hierbij gestimuleerd door vriendinnen die rokjes, sjaals, spelden met bloemen, oorbellen en andere versieringen aandragen. Ik geloof dat ik me minder ziek voel met mooie kleren en mooie oorbellen.

Misschien kun je ook niet alles langs de lat van zinnigheid leggen, want dat wekt alleen apathie op. Uiteindelijk is alles in zekere zin zinloos. Of juist zinvol.

Op de dag van het het-ziet-er-niet-zo-goed-uit-en-we-gaan-een-CT-scan-makengesprek had ik een afspraak bij een dermatoloog om een hardnekkige voetwrat die me al jaren parten speelde, weg te laten halen. Ik lag op de behandeltafel en dacht: wat nou als ik vanmiddag slecht nieuws krijg, is het dan wel zinnig dat ik nu deze enigszins pijnlijke ingreep onderga? Al bleek dat pijnlijke na een leverpunctie en chemobijwerkingen relatief. Wat levert het me op? Dat ik straks doodga zonder voetwrat?

Hoeveel tijd moet ik besteden aan oppervlakkig onderhoud? Moet ik de roestplekken op een hopeloze carrosserie bijwerken?

Elke avond smeer ik consciëntieus nachtcrème op mijn gezicht, tegen rimpels die ik nooit ga krijgen. Ik sport twee keer per week, werk aan mijn conditie en doe aan krachttraining. Hoe dan ook: als ik doodga doe ik dat zonder rimpels, met een strak buikje en in topconditie. En met geverfd haar, want morgen ga ik haarverf kopen.

Herinnering

Valentijn doet deze week de Cito-toets, en dat overstemt op prettige wijze alle andere zorgen. We maken al twee dagen een stevig ontbijt met verse croissants, toast met gebakken ei en verse jus, want, had zijn juf tegen hem gezegd, een goed ontbijt is belangrijk. (Dat wij dat al jaren zeggen, is hem blijkbaar niet opgevallen.) Voor mezelf een bakje Brinta, want sinds het zo koud is, heb ik onweerstaanbare trek in slappe pap met een beetje suiker.

Vanmiddag zijn Valentijn en ik samen gaan lunchen in een dubieuze pizzeria. De keuze van de eetgelegenheid werd vooral bepaald door het feit dat Valentijn het allermeeste van pizza houdt en dat het de dichtstbijzijnde pizzeria was – op behapbare loopafstand voor zieke moeders; hooggespannen culinaire verwachtingen had ik er niet van.

We waren de enige klanten en zaten aan een tafeltje bij het raam.

Ik keek naar Valentijn, die gelukzalig zijn pizza met pikante worst zat te eten. We hadden het over de Cito-toets, over de middelbare school, over thuis; ik zag zijn dromerige blauwe ogen, zijn bleke sproetjes, zijn rode haren en probeerde uit alle macht zijn mooie gezichtje in me op te slaan en voor altijd te onthouden. Voor altijd onthouden. Ik moest vreselijk vechten tegen mijn tranen bij die gedachte, omdat ik al die dierbare herinneringen aan zijn lieve gezicht nergens mee naartoe kan nemen.

De muziek op de achtergrond hielp niet mee: Julio Iglesias, Heart, Bryan Adams – de ene tearjerker na de andere kwam voorbij.

We zouden op de terugweg eigenlijk nog een passer voor hem kopen, maar ik was te moe. Doodmoe. Thuis ben ik in bed gaan liggen om even te slapen, maar ik moest onbedaarlijk huilen. Met uithalen en hevig snikken. Dat had ik al weken niet meer gedaan. Ik realiseerde me opeens weer dat ik er straks gewoon niet meer ben. Dat ik geen iPhone kan meenemen om foto's en filmpjes te bekijken waarop we lachend met zijn vijven staan. Dat ik niet na een tijdje weer terugkom.

Ik heb net citroentaart gebakken, voor morgen op school, als de Cito-week klaar is. Valentijns lievelingstaart. Ik hoop dat hij zich onze lunch en de taart voor ons allebei herinnert, later.

Geur

Als ik weer thuis ben na een ziekenhuisbezoek, vind ik de geur van de pleister op de plek waar het infuus heeft gezeten onverdraaglijk. Ellendig en doodmoe op de bank maakt die geur me bijna woedend. Gistermiddag ook. De laatste keer in het AMC, ik ben overgestapt naar een andere oncoloog in een ander ziekenhuis. Ik was zo moe. En ik had buikpijn die maar niet wegging en zo erg was dat ik alleen maar wilde slapen – maar dan wel zonder dat vieze geurtje. Om acht uur lagen we met zijn vieren in ons grote bed (Swip was uit logeren), rijkelijk besmeerd met Rituals eucalyptus massageolie en Vaporub, om ieder zweempje ziekenhuislucht te verdoezelen.

De geur van de kindertjes toen ze klein waren, melk en honingkoekjes, kan ik me precies herinneren, maar ik zou hem zo graag weer eens ruiken. Of de geur van Klaas in zijn nek, toen ik voor de eerste keer naast hem wakker werd.

Vandaag hoorde ik van een familielid dat ik, toen ik een peuter was, dagelijks bij mijn opa en oma in hun wasserij afgeleverd werd. Ik stond daar in een box tussen de reuzewasmachines en de pakken wasmiddel op muziek van de radio te dansen. In de kast heb ik nog een houten kleerhanger met het opschrift: TEL. 741259 – CHEM. WASSERIJ 'MODERNA' – SUMATRASTRAAT 216, AMSTERDAM.

Ooit heeft een dj na een optreden van ons bandje een poging gedaan mij te versieren; hij schreef zijn telefoonnummer en adres op een bierviltje. Het adres was hetzelfde als dat van wasserij Moderna. Ik ben niet op zijn avances ingegaan.

Chem. Wasserij Moderna: het verklaart wellicht de gelukzalige opwinding die ik nog steeds voel bij het openen van pakken wasmiddel, en zelfs mijn plezier bij het doen van handwasjes op vakantie. Of het verheerlijkt rondlopen in de megasupermarkten met een overdaad aan merken, varianten en geurtjes die de wasmiddelenfabrikanten maken. En dan mijn absoluut favoriete geur Savon Marseille inslaan. Misschien was dat wel het huiswasmiddel van stomerij-wasserij Moderna, en heeft die geur zich diep in mijn olfactorische geheugen gegrift.

Niet zo lang geleden pakte ik een handdoek uit de vakantiekast en rook eraan: het wasmiddel uit Spanje! Ik stond weer in Cáceres, in de gammele washokken, shirts en onderbroeken te wassen in de brandende zon, en het maakte niet uit dat ik kletsnat werd en dat op de hand wassen op een ribbelbord eigenlijk rotwerk is. Volmaakt gelukkig tussen het natte, schone wasgoed. Hoe simpel kan geluk zijn.

Familie

Mijn familie is versnipperd en verscheurd. Ik heb altijd vol vragen gezeten over onbekende ooms, tantes, neven en nichten die niet meer met elkaar of met ons praatten en over wie thuis – zelfs na lang doorvragen en zeuren – weinig tot niets werd verteld.

Ik heb mezelf altijd voorgenomen om dat anders te doen. Ik wilde een man en kinderen met wie ik kon lachen, nieuwe familietradities beginnen, samen eten en reizen, familieverhalen vertellen, en ik wilde een moeder zijn met wie je kunt praten, discussiëren en kletsen. Een gezin hebben dat mij nooit in de steek zou laten, en dat ik nooit in de steek zou laten.

Een familietherapeute met wie ik de afgelopen maand een paar keer heb gepraat, vertelde me hoe belangrijk familie-erfgoed is; hoe belangrijk het is voor kinderen om te weten waar hun ouders vandaan komen.

Ik liep met mijn moeder op straat. Ik was ongeveer zeven jaar oud. We hadden boodschappen gedaan voor mijn opa. Dat deed mijn moeder bijna iedere zaterdag sinds oma was vertrokken, en soms ging ik mee. Hij had een geweldig huis. Het stond vol met rommel en afval. In de woonkamer was maar een klein stuk begaanbaar, er was een pad naar de keuken. Er lagen Perzische kleden op de grond en op de eettafel, er stonden veel volle asbakken en er lagen nog meer lege pakjes Caballero. Aan de muur hing een goudkleurige klok, die een zon met golvende stralen voorstelde. Ik werd altijd een beetje verdrietig van die klok. Er was niets zonnigs aan de woonkamer.

De keuken vond ik vies. Het zeil plakte, het rook er zuur en er stonden aangekoekte pannetjes. Sommige reddeloos verloren, andere na stevig schrobben weer te gebruiken. De wc vond ik doodeng: daar hing het rieten plafond half naar beneden, en keek je als je zat te plassen in een donker gat boven je. Ik probeerde altijd thuis voor we weggingen te plassen, en anders het zo lang mogelijk op te houden.

De achterkamers waren geweldig. Tafels, kasten, op elkaar gestapelde stoelen, kisten, een oude kassa, fietsbanden, velgen, lege blikjes, boeken, oude kranten, stapels huis-aan-huis-blaadjes, porseleinen beeldjes, kleding, elektradraden, lege bruine kruidenierszakjes; alles wat ik me als kind bij een magische rommelwinkel voorstelde, lag daar.

We liepen op straat en op een hoek botsten we tegen een oudere mevrouw op. Mijn moeder schrok, de vrouw schrok en ik schrok omdat mijn moeder schrok en omdat ik dat niet begreep; het was geen harde botsing geweest – zo hard liepen we niet – en niemand had zich volgens mij bezeerd. Ik wilde weer verder lopen, maar mijn moeder en de vrouw stonden nog stil en bleven elkaar verschrikt aankijken.

Waarom liepen we nou niet gewoon verder? Ik had het koud en wilde weer naar binnen. De boxer die de vrouw bij zich had trok ongedurig aan zijn riem. De vrouwen groetten elkaar en kusten elkaar onhandig.

Wie was dit? Een oude buurvrouw die mijn moeder nog kende van vroeger? Ik keek in het raam van de etalage. Ik zag de Javastraat in spiegelbeeld in het glas. De vrouw en mijn moeder stamelden wat tegen elkaar en langzaam drong het tot me door: in de weerspiegeling van het raam zag ik mijn moeder met mijn oma praten. We waren tegen mijn oma op gebotst!

Voorzichtig bekeek ik haar in het glas, en draaide me om. Ze wilde mij een kus geven, maar ik vond het maar raar, een wildvreemde vrouw kussen. Ik aaide de hond; hij kwijlde en likte, dat vond ik bijna nog viezer dan een vreemde vrouw kussen, dus stak ik mijn handen maar in mijn jaszak. Ik vroeg me af wat mijn oma van mij vond. Zou ze het leuk vinden om opeens haar kleindochter te zien?

In mijn herinnering zijn we met haar mee naar huis gegaan en heeft ze patat en bitterballen voor ons gebakken, terwijl Kazan op mijn knie en mijn bord kwijlde. Maar het zou ook kunnen dat we verder zijn gelopen.

Doodsangst

Ik ben bang om bang te zijn. Bang om straks alleen te zijn, alleen met pijn. Bang overmand te worden door vermoeidheid. Bang dat er een moment komt dat de pijn en de vermoeidheid de overhand krijgen. Bang voor het moment dat ik liever dood wil zijn.

Ik dacht altijd dat met doodsangst de angst om dood te gaan bedoeld werd, maar misschien is het wel de angst om dood te willen gaan. Voor doodgaan op zich ben ik niet zo bang. Ik ben bang om niet meer te willen leven. Ik leef zo graag, ik wil veel en alles en het liefst tegelijk. Ik noem het enthousiast, al voelt het op slechte dagen ronduit als ongeduldig.

Het begon al bij mijn geboorte. Ik kwam te vroeg uit de baarmoeder, niet een paar dagen, maar een dikke vijf weken. Het leverde niets op aan extra levensvreugd, want ik werd de rest van de draagtijd in een glazen couveuse gelegd, nog net zo ver weg van de echte wereld als in de baarmoeder.

Nu ben ik bang dat ik straks ook ongeduldig ben als ik bij mijn einde ben. Doodgaan? Daar heb ik al helemaal geen tijd voor! Ik moet nog zoveel doen! Wat een geluk dat ik altijd zoveel heb gedaan, tien dingen tegelijk, iedere dag was te kort, maar er was altijd een gaatje voor nóg een opdracht, een nieuw veelbelovend project, een mooi liedje en taart eten met een vriendin. In de diepte én in de breedte geleefd, alsof ik altijd al wist dat mijn tijd beperkt was.

Ik kan er maar niet aan wennen dat mijn energie gedecimeerd is. En dat ik halverwege de middag uitgeput en huilend op de bank lig omdat ik niet meer 'en' kan doen, maar tot 'of' word gedwongen.

Vier afspraken op een dag is niet meer realistisch, net zo min als onderweg van de ene afspraak naar de volgende nog een kind ergens op te pikken, een melodietje voor een nieuw liedje in te zingen op mijn iPhone, een boodschap te doen en een sms'je te sturen.

Gebed

Vanochtend voor het eerst in mijn leven een officieel testament ondertekend. We hebben het voogdijschap nu eindelijk echt geregeld. De notaris was gevestigd in Hoofddorp, zodat ik door een wrede speling van het lot na vele jaren weer door Hoofddorp reed, waar ik als kind nou niet bepaald de gelukkigste jaren van mijn leven heb doorgebracht.

De notaris voelde zich duidelijk ongemakkelijk toen ik tijdens het voorlezen van het testament in huilen uitbarstte.

'Leest u maar gewoon verder, hoor,' snikte ik, maar dat vond hij blijkbaar ongepast. Hij stopte en zei dat ik mijn tijd moest nemen. Misschien is het wel wettelijk verboden om testamenten voor te lezen als de erflater erdoorheen huilt. Hij probeerde me op te beuren met een verhaal over een nog jongere moeder, ongeneeslijk ziek en met twee jonge kinderen, voor wie hij onlangs ook een testament had gemaakt.

Op de terugweg kwamen we langs de rooms-katholieke kerk en ik bedacht opeens dat ik daar even wilde stoppen. We parkeerden en liepen naar het kerkhof. Ik wist nog precies in welke hoek het was. Toen ik aan de Kruisweg woonde, fietste ik er bijna dagelijks langs en ging vaak even kijken. Nog altijd staat er geen steen. Ik twijfelde over de plek, omdat er vlak naast elkaar twee graven waren zonder steen.

Een oudere, gebogen man opende net de voordeur van de kerk en vroeg of we binnen wilden komen. Even later zat ik op een bankje achter in de kerk. De kerk was afgeladen geweest, de dag van Setty's begrafenis.

De man wilde wel met ons naar de goede plek zoeken nadat we hem twee keer hadden verteld dat we twijfelden welk graf het was. Hij bleek hardhorend. Hij zou hulp vragen aan de heilige Antonius. Zijn eigen doopnaam was ook Antonius, dus we zouden het zeker vinden, en dan zouden we bidden bij het juiste graf.

We liepen over het pad terug naar het kerkhof. Destijds, na afloop van de dienst, waren we in dikke, langzame, huilende rijen langs het graf geschuifeld. Het regende toen. Nu miezerde het een beetje.

Na enig overleg met Antonius waren we er zeker van welk graf het was. Antonius keek me loensend aan en vroeg of hij met het gebed zou beginnen. Ik knikte door mijn tranen.

Antonius begon zijn gebed:

'Lieve Heer
hier liggen drie kinderen
we willen U niet hinderen
zij zijn bij U in de hemel
zoals deze twee mensen
die naast mij staan ook op een dag wensen
te zijn
de kinderen zijn bij U op een goede plek
Lieve Heer wij staan hier te bidden

en niet te smeken of te preken
Ik bid voor de drie kinderen
en voor deze twee mensen naast me
Laat ze niet scheiden
want scheiden doet niet verblijden,
nee, scheiden doet lijden
geef deze mensen, hun wensen
een broodje van Kootje
En lieve Heer, als toetje
doen we nog een Maria-weesgegroetje.
Amen.'

Na het weesgegroetje hebben we kaarsjes in de kerk gebrand, samen met Antonius ('Zeg maar Eddie, hoor'), kerkbewaarder en vinder van verloren zaken.

Toekomst

Valentijn en Lulu hebben al de hele week oorontsteking, Swip en Valentijn keelontsteking en donderdag kwam er voor iedereen nog buikgriep bij. De hele avond en nacht stonden er om beurten huilende kindertjes in de badkamer over te geven. En halverwege de nacht werd duidelijk dat het virus ook Klaas en mij te pakken had. Totaal gebroken werden we vanochtend wakker.

Voorzichtig ontbijten met beschuitjes en jam. En paracetamol en Diclofenac, maar dat is tegenwoordig standaard. Ik weet niet of het door de slechte nacht komt, maar vandaag voel ik me zo intens verdrietig.

De hele week waren er kinderen ziek thuis. Geen moment ben ik alleen geweest. Veel aanloop en ik ben gebeld en gemaild door vrienden, redacteuren van tijdschriften en tv-programma's en uitgevers, die allemaal iets van me willen of voor me willen doen. Daar zou ik normaal gesproken vast heel blij en enthousiast van geworden zijn, zoveel aandacht en commotie, maar nu vliegt alles me aan.

Door alle vragen word ik gedwongen na te denken over de toekomst, iets wat ik de afgelopen tijd eigenlijk zo veel mogelijk heb geprobeerd te vermijden. Kan ik nadenken over een project dat langer dan een maand duurt? We hebben geld gekregen om iets leuks te gaan doen met zijn vijven. Is het goed om na te denken over wanneer we op vakantie gaan en hoe lang? Het idee om naar Spanje te rijden, net als vroeger, alsof er niets aan de hand is, maakt me bijna radeloos verdrietig. Alsof zo'n reis bij voorbaat gedoemd is te mislukken.

Spierpijn en misselijk. En hoofdpijn, dat ook. Misschien is het de griep die me down maakt, misschien. Misschien moet ik gaan slapen, de lapjesdeken over mijn hoofd trekken en morgen pas weer nadenken. Dat is ook een soort toekomstplan, toch?

Hopeloos

Een paar dagen in een afgelegen huisje met een overweldigende stilte en een immens ligbad hebben ruimte in mijn hoofd gemaakt. Ik kon eindelijk eens rustig nadenken. Ik kwam er tot mijn schrik achter dat ik me al veel meer dan ik dacht heb neergelegd bij het predicaat 'hopeloos'. En dan bedoel ik in dit geval hopeloos met betrekking tot de pancreaskanker, want hoewel ik me ook op allerlei andere vlakken bij tijd en wijle flink hopeloos voel, is de pancreashopeloosheid op dit moment de meest in het oog springende.

Hopeloos kun je op verschillende manieren zijn. Je kunt overdadig en extravert hopeloos zijn en dit uiten door wanhopig gedrag. Hierbij valt te denken aan: haar uit je hoofd trekken, luidkeels weeklagen, voortdurend huilen terwijl je je aan anderen vastklampt, of op de koude grond gaan liggen terwijl je met je voorhoofd op de vloer bonkt en met je armen spastische bewegingen maakt. Er bestaat geen misverstand: dit is iemand die er beroerd aan toe is. Maar je kunt blijkbaar ook heel onopvallend hopeloos zijn. Heel stiekem.

Ik wil mijn kop niet in het zand steken, maar me juist met open vizier op de dood voorbereiden door allerlei praktische aspecten te regelen. Tegelijkertijd voel ik echter een bijna kinderlijke zekerheid dat er nog een wonder gaat gebeuren en dat het allemaal goed gaat komen. En in die hoop, in dat onwrikbare geloof in een wonder, ontdekte ik, schuilt paradoxaal genoeg míjn hopeloosheid.

Ik kan me op geen enkele manier écht voorstellen dat ik doodga – hoeveel afscheidskaartjes ik ook schrijf en heb geschreven, ook al ben ik een doos aan het vullen met 'cadeautjes' voor vriendinnen voor als ik straks dood ben, ook al vertelt Klaas me met tranen in zijn ogen dat hij zich niet kan indenken hoe hij het straks zonder mij moet doen –, ik kan me niet voorstellen dat ik niet gewoon blijf leven. Niet voor altijd natuurlijk, dat zou ook weer het andere uiterste zijn. Dat betekent dat ik weer terug ben in de ontkenningsfase: doodgaan, dat doen andere mensen!

Kopje-onder

Ik zat in bad met een kopje thee. Toen de thee op was, liet ik het lege kopje in het water vallen. Het kopje was als een bootje dat scheef in het water lag. Ik maakte golven en het scheepje deinde op het woeste water. Er kwam water in het bootje, maar het bleef drijven. De golven werden hoger en wilder, en het kopje raakte halfvol. Maar het bleef het drijven. Het fascineerde me, dat kopje dat niet zonk, maar koppig bleef dobberen. Ik druppelde er voorzichtig nog wat water bij, net zo lang tot het bijna tot de rand gevuld was. Nog zweefde het in het water, bijna onder water maar nét niet helemaal. Voorzichtig deed ik er nog wat water bij, en nog een beetje. Nog een paar druppels. En toen opeens, vrij plotseling, zonk het kopje pijlsnel naar de bodem van het bad.

Hetzelfde experiment had ik al eens eerder gedaan, als tienjarig meisje in het ligbad in ons vakantiehuisje op Lanzarote. Ik lag droevig in bad, eenzaam en zwaarmoedig over de zwaarte van het bestaan, en melancholiek door de muziek die in de kamer naast mij op stond – *Dream up, dream up, let me fill your cup*. Ik voelde mij verbonden met dat kopje al begreep ik niet helemaal waarom.

Kopjes zijn er in veel soorten en maten. Sommige drijven stabieler dan andere, je hebt fijne, porseleinen tasjes, en je hebt robuuste aardewerken mokken. Sommige lopen halverwege al vol en zinken dan radeloos naar de bodem, terwijl weer andere bijna tot de rand gevuld kunnen worden voor ze ondergaan.

Liefde is soms een soort kommetje: iemand kan gemeen tegen je doen, je afwijzen, je teleurstellen, je pijn doen, kwetsen en je kop langzaam vullen met verdriet en narigheid. Maar zie: het blijft drijven, een hele tijd. Er komt een moment, er komt een druppel, hoe klein of spreekwoordelijk die dan ook mag zijn, en die maakt dat het bootje zinkt. En als de liefde kopje-onder is, valt er niets meer te redden. Met man en muis vergaat de boel.

Maart 2012

Per mediam tempestatem

Geluk zit 'm in kleine dingen. Dat weet ik natuurlijk diep in mijn hart al mijn hele leven, maar het is makkelijker om dat te zien als Magere Hein zijn tomtom heeft ingesteld op je adres.

Precies genoeg melk in het pannetje hebben voor de koffie verkeerd. Een gedicht van Lulu dat ze voor ons heeft geschreven. Een fietstochtje maken met mijn kinderen en hun blozende wangetjes zien. Een liedje opnemen met Klaas terwijl Valentijn ons filmt. Het woord 'genezen' kunnen neerleggen bij Wordfeud. Het gezicht van Valentijn toen hij het haardvuur mocht aansteken. In bad met Swip bellen blazen met de douchecrème. Wakker worden en zin hebben in seks. Klaas die wakker wordt. Langer in een geweldig huisje kunnen blijven. Een kapelletje langs de weg zien en hardop een geïmproviseerd gebedje doen voor iedereen. Hand in hand aan tafel zitten met een reuzesterretje op tafel. Chocola eten. Ontroerende mailtjes krijgen. *Harvest* op een pick-up draaien. Een boom cadeau krijgen. De brug die dichtgaat als je er nét overheen bent. Eten met mensen van wie ik houd. Binnenkomen op het moment dat de bui losbarst. Alle stoplichten mee hebben. Regen die naar voorjaar ruikt. Een warm lijfje dat 's nachts tegen je aankruipt. Een dag geen buikpijn hebben. Klaas die zegt dat hij van me houdt en dat hij het allemaal heeft gezien en het niet zal vergeten. Al meer dan vier dagen geen behoefte hebben om te huilen. Perfecte pannenkoeken bakken. Een mooi boek lezen. Op mijn macbook zitten schrijven. In het midden van de storm zitten en het zien. Allemaal.

Zeventien jaar

Gisteren was het zeventien jaar geleden dat het 'aan' ging tussen Klaas en mij. We speelden al een jaar samen in een bandje en gingen regelmatig uit. Klaas stak niet onder stoelen of banken dat hij met mij wel meer wilde dan alleen muziek maken, maar ik hield de boot af. Dat geeft maar gedoe in bandjes, leek me. Bovendien was het natuurlijk allemaal maar een grapje, want tot dan toe had er nog nooit iemand met veel overtuiging van mij gehouden.

Als je maar lang genoeg níét te horen krijgt dat je leuk, mooi of lief bent, dan duurt het echt een hele tijd voor je doorhebt dat er mensen zijn die geen grapje maken als ze iets aardigs tegen je zeggen.

Na een jaar wanhopige toenaderingen, ontwapenende pogingen en ongegeneerde liefdesbetuigingen had Klaas de hoop inmiddels laten varen, maar ik ging samen met vriendin H. op pad om een leuk setje ondergoed te kopen; Hema-lingerie viel binnen mijn studentenbudget.

Giechelend stonden we bij de bh's grapjes te maken over Klaas en de komende avond – ik zou met hem uitgaan – ondertussen zoekend naar een aardig setje met blauwe bloemetjes. Bij de kassa stonden we nog steeds flauwe grappen te maken, ondeugende plannen te smeden en de boel vreselijk te traineren omdat ik al mijn kleingeld bij elkaar moest zoeken om het setje te kunnen afrekenen. De rij achter ons groeide gestaag, net als de ergernis bij de mensen in die rij. H. viste nog een paar stuivers uit haar tas maar ik bleek nog steeds dertig cent tekort te komen om het setje te kunnen betalen.

De man die achter ons in de rij stond, en alle details voor die avond luid en duidelijk mee had gekregen, trok licht geïrriteerd zijn portemonnee, legde zonder iets te zeggen dertig cent op de toonbank en keek ons streng aan. Het Hema-meisje gooide de muntjes in de kassalade en deed de blauwe bloemetjes in een tasje.

Ik mompelde: 'Nou bedankt' tegen de man achter ons en griste licht beschaamd en tegelijkertijd proestend van het lachen het krakerige plastic Hema-tasje mee.

Ik geloof dat het Klaas niet is opgevallen dat het prijskaartje nog aan de bh zat, waarschijnlijk heeft hij zelfs niet eens gezien dat ik zo'n leuk setje aanhad. Hij was allang blij dat ik eindelijk overstag was.

Dagje Leuven

Een dagje ziekenhuis in Leuven. Ik had vooraf rondvraag gedaan over leuke bezienswaardigheden in Leuven zelf, de kinderen gingen mee en het leek me wel een goed idee om na afloop nog iets leuks te gaan doen. Het Begijnhof, museum, ergens lunchen, stadhuis, winkeltjes.

Telkens ben ik weer bloednerveus: een nieuw ziekenhuis, een andere oncoloog, andere geurtjes, andere patiënten die je op de gang vol in je gezicht hoesten waardoor ik meteen overtuigd ben dat ik op zijn minst open tbc heb opgelopen.

De oncoloog in Leuven is bereid mij het medicijn Abraxane toe te dienen. Het is een wekelijks schema, net als de 'chemo light' die ik nu krijg. Hij zei dat de afstand Amsterdam-Leuven op wekelijkse basis hem vrij belastend leek. Omdat het medicijn mij niet zal genezen. Omdat niet te zeggen is in welke mate het mijn leven zal rekken. Óf het mijn leven zal rekken. Eerst de CT-scan in Amsterdam afwachten, daarna moeten we maar laten weten of we het willen. Of ik het wil.

Kwaliteit van leven, ongeneeslijk, dat soort termen; het komt iedere keer opnieuw zo vreselijk hard binnen. En daar liepen we weer, door de glazen wandelgang van het ziekenhuis terug naar de parkeergarage. Links van mij Swip, rechts van mij Valentijn. Allebei knepen ze in mijn handen. Drie knijpjes links, drie knijpjes rechts. Een huilende moeder, een huilende moeder daar schrikken ze toch nog steeds erg van.

Klaas liep voor ons met een vrolijk babbelende Lulu.

In de auto was de stemming bedrukt en was er ook veel voor te zeggen om terug naar huis te gaan. Het was fris zonnig en ik wilde toch graag ook iets leuks in Leuven doen, niet alleen maar naar het ziekenhuis op en neer rijden met de hele familie. Snikkend wees ik Klaas op bordjes met HISTORISCH CENTRUM. Op de achterbank geen geruzie. We liepen door prachtige straatjes en kochten in een klein lief winkeltje een mooie lamp voor thuis.

Met een zwaar hart lunchten we tegenover de kathedraal. Lulu wilde weten wat katten met kathedralen te maken hebben. Swip wilde weten in welke kamer de nieuwe lamp kwam. Valentijn wilde weten of er wifi in het café was. Klaas wilde weten hoe het kan dat een Belgisch ziekenhuis Abraxane in Nederland bestelt, om het in België aan een Nederlandse patiënt te geven. En ik vroeg me stilletjes af hoe vaak we nog met zijn vijven zullen kunnen lunchen en of het gek is om je tranen aan het tafelkleed af te vegen.

Lente

Ik fiets door de stad, de zon schijnt op mijn gezicht. Wat heerlijk om even alleen te zijn; geen dokters of zusters met dreigende infuusnaalden, geen bezorgde vriendinnen, geen bedroefde Klaas, geen vragende kinderen. De lucht is blauw en de wereld ziet er meteen heel anders uit. Links de Schreierstoren, en voor me een horde toeristen die ik moet ontwijken.

Mijn wanten bungelen zorgeloos uit mijn mouwen. Ik hou van de stad. Ik hou van de lente. Ik voel me gelukkig. Maar opeens is het er weer; net als ik dreig te genieten van het leven, komt dat stomme stemmetje in mijn hoofd: 'Ja, kijk maar goed, misschien is het wel je laatste lente.'

Vol bravoure denk ik schamper: niks ervan, ik ga er nog een heleboel meemaken, let maar eens op. Maar de zon voelt wel iets minder warm dan net.

Ik slinger behendig tussen de volgende horde toeristen door. Ik adem in: frisse lucht – voor zover mogelijk in de binnenstad – en leven. Ik lach. Een leuke jongeman die op de stoep loopt, lacht naar me. Hij roept iets... Hij flirt! Ik ben verbaasd, hoe kan hij nou flirten met iemand die doodgaat? Hij kan natuurlijk niet aan me zien dat ik doodga. Al mijn haar zit nog op mijn hoofd, ik heb een blosje op mijn wangen geschilderd, en ik was waarschijnlijk zelfs hardop aan het zingen. Voor hem fietst er gewoon een vrolijke vrouw langs in de ontluikende lentezon. Net als ik charmant wil teruglachen, roept het stemmetje venijnig in mijn hoofd: 'Zeker een necrofiel!'

Ik zet mijn zonnebril op en rij snel naar huis.

Zeven jaar

Hoera! Lulu is vandaag zeven geworden. Ik werd al om half vijf wakker. Eerst dacht ik dat het was omdat ik me zorgen maakte of de soesjestaart wel heelhuids op school zou komen, en of Lulu haar nieuwe schoentjes wel zou passen, maar na een paar minuten realiseerde ik me dat ik niet van de zenuwen maar van de buikpijn wakker ben geworden.

Ik ga met een boek op de bank liggen. Korte verhalen van een Israëlische schrijver, maar de pijn knaagt zo akelig dat ik na een halve zin het eerste woord al ben vergeten.

Warm water drinken. Poes op mijn voeten. Een pijnstiller. Nog even slapen zou wel fijn zijn, maar het lukt niet. Buiten hoor ik de eerste vogels fluiten, of zingen. Ik bedenk dat ik na veertig jaar nog steeds geen idee heb welke vogels ik hoor. Het wordt lichter, ik hoor de eerste trams voorbij ratelen. Dat betekent dat de wekker bijna gaat. Het geruststellende geluid dat de stad reutelend tot leven komt.

Boven gaat de wekker snerpend af. Klaas komt bezorgd naar beneden. Of hij zo hard snurkte dat ik beneden ben gaan liggen? Hij schrikt als hij me ziet. Ik blijk te huilen. Ik probeer me te herpakken, Lulu wordt straks wakker en o, daar is ze al! Ze is zo opgewonden, zo zenuwachtig over haar cadeaus.

Even later zitten we aan de ontbijttafel. Lulu scheurt stralend pakjes open. Schleich-dieren vliegen haar om de oren. Hoera! Zelfs de ietwat kitscherige bloemenkoets met witte paarden met bloemen in hun manen zit erbij! Hoe gelukkig kun je zijn, hoe gelukkig kun je kijken?

Ik fiets met haar naar school, de soesjestaart in het kratje voor op de fiets, Lulu parmantig achterop, glunderend met haar nieuwe glitterschoenen.

Felicitaties op het schoolplein. 'Ja, ja,' roep ik stoer, 'zeven jaar, die is in de pocket!' Maar als ik terugfiets naar huis, breekt mijn hart bijna. De tijd vliegt voorbij.

Mokkagebakjes

De hele ochtend zat ik al opgewonden te wachten met de taartjes. Zo vaak waren ze niet in Nederland en nog minder vaak waren ze in de stad. We hadden elkaar al bijna een jaar niet gezien en ik wilde ze gastvrij onthalen met koffie en taart. En aangezien ik toen nog niet had ontdekt dat je zelf taarten kan bakken, had ik de gebakjes speciaal gekocht bij de bakker – excuseer, patissier – met de mooie glas-in-loodramen bij mij in de straat.

Om half elf zouden ze komen. Ongeveer, want het was natuurlijk niet te zeggen met het verkeer onderweg en ze moesten ook nog een parkeerplek zoeken in het centrum van de stad. En dat op zaterdagochtend.

Om half twaalf rekende ik uit dat de marge van laat vertrekken, drukte onderweg en misschien nog tanken halverwege wel voorbij moest zijn. Ik keek uit het raam mijn straat in of ik toevallig hun auto zag rijden. Ik wist eigenlijk helemaal niet wat voor auto ze deze keer gehuurd hadden, en vanaf driehoog was het onmogelijk mensen in auto's te onderscheiden. Ik nam nog een kopje koffie.

Vijf voor twaalf. Ik begon een beetje ongerust te worden. Als ze maar geen pech onderweg hadden gehad, of erger nog, een ongeluk. Ik liep naar mijn keukentje en zette een nieuwe pot koffie. Ook meteen even plassen.

De gebakjes begonnen steeds meer te glimmen, ze hadden het warm. Ik had honger. Zou ik het mijne alvast opeten? Zul je zien dat net als ik een hap van mijn taartje neem, ze aanbellen. Het staat ook zo lomp als ik mijn taartje al opheb. *Note to self*: de volgende keer een extra gebakje kopen voor dit soort situaties.

Misschien moesten ze nog een boodschap doen onderweg? Ze combineerden wel vaker afspraken om hun tijd zo efficiënt mogelijk te gebruiken.

Ik kon vanuit mijn raam, als ik mijn gezicht tegen het glas drukte, nét de kruising met de Marnixstraat zien. Niks bekends. Ik brandde mijn lip aan de verse thee en zocht in mijn vriesvakje tevergeefs naar een ijsklontje. Ik moest bijna huilen van de pijn. Misschien waren ze het vergeten? Ergernis over het wachten nam de ongerustheid een beetje weg. Ik had mijn ochtenddienst helemaal niet hoeven af te bellen, die had ik makkelijk gehaald.

Om kwart voor een werd er gebeld. Ik nam op. Ze waren wat later. Ze zaten nog even bij de opticien op de begane grond bij mij in het pand; ze moesten hun lenzen ophalen en waren even blijven koffiedrinken.

Maar wij hadden toch om half elf afgesproken?

Ja, nou, het was moeilijk om weg te komen. Ze dronken nog één kopje, want ze hadden André ook al een tijd niet gesproken, en dan kwamen ze naar boven.

Ik had zin om de taartjes uit het raam te gooien. Ik had zin om de taartjes op de grond te gooien en erop te stampen tot alle mokkacrème uit die keurige glazuurlaag was gespoten en het koekdeeg verkruimeld onder mijn voeten lag en er een grote lichtbruine platte plak patisserie op de grond zou liggen. Met dat stomme witte bordje met die potsierlijke letters MOK-KA erbovenop. Maar in plaats daarvan wachtte ik nog een half uur. Ze wilden geen koffie, ze hadden al zoveel koffie op.

Ze wilden geen gebakje, want ze dronken geen koffie.

Ze konden niet zo lang blijven want ze hadden nog een afspraak en de parkeermeter liep bijna af.

Ik had knallende hoofdpijn van de honger. Ik at de gesuikerde noot van mijn gebakje. Ik werd misselijk van de mokka. Mijn lip deed nog steeds pijn van de hete thee. Ik wilde alleen zijn. Alleen zijn en overgeven en heel hard tegen iemand aan huilen.

Bolognesesaus

We zitten aan tafel met een vriendinnetje van Swip wier vader een paar jaar geleden is overleden. Aan kanker. Zij was toen ongeveer zo oud als Lulu nu is. Met argusogen bekijk ik haar doen en laten. Is er iets geks aan haar te merken? Is ze buitensporig timide, of juist geëxalteerd opgewekt? Smakt ze als ze eet? Ze blijkt een prettig vrolijk, open en slim kind. Beleefd ook. En ze kan ook nog eens geheel volleerd met mes en vork eten.

Ik ben heel benieuwd wat ze zich herinnert van haar vader, is ze hem niet vergeten? Heeft ze het vaak over hem, is hij een terugkerend thema in haar gesprekken? Ik hoop natuurlijk – als toekomstig overleden moeder – dat ze non-stop over hem praat en de ene na de andere ontroerende herinnering of geestige anekdote opdist. Maar ze vertelt eigenlijk niet zoveel. Wel dat hij de lekkerste bolognesesaus ter wereld maakte. Verder gaat het gesprek aan tafel gewoon net als anders over computerspelletjes, wie welk boek aan het lezen is, wie het verste heeft geschoten met zijn pijl en boog en dat niemand zin heeft om de tafel af te ruimen.

Later op de avond, als iedereen in bed ligt, denk ik aan bolognesesaus. Is dat waartoe je reduceert als dode moeder, naarmate de tijd verstrijkt? Als ik tranen voel opwellen, valt me in dat de beste sauzen beter worden als je ze lang laat koken. Er verdampt een heleboel, ze dikken in, maar de smaak, die wordt rijker en voller.

Loterij

Het is vervelend om te wachten op een uitslag waarvan je al bij voorbaat weet dat hij gaat tegenvallen. Wat ik wil horen is: 'Wonderbaarlijk! De scan is geheel schoon!' of: 'Dit heb ik in al mijn jaren als oncoloog nog nooit meegemaakt, maar er is sprake van een volledige remissie!' Wat ook mag: 'Het spijt me vreselijk, ik begrijp niet hoe het heeft kunnen gebeuren, maar in drie ziekenhuizen zijn uw CT-scans en al uw bloedonderzoeken verwisseld en er is helemaal niets aan de hand.' Ik zal dan niemand aanklagen wegens slordige werkwijze, beloofd.

In plaats daarvan heb ik een lot uit de loterij waarvan ik weet dat de hoofdprijs al op een ander lotnummer is gevallen. Het gunstigste wat ik vanmiddag kan verwachten is een winnend eindcijfer; de chemo slaat aan en de uitzaaiingen zijn niet gegroeid. Of twee goede eindcijfers; de metastasen zijn zelfs kleiner geworden. (Wat ik dan weer dolgraag zal interpreteren als stap één naar een volledige remissie.)

Ik weet nu al dat ik ga huilen bij de prijsuitreiking vanmiddag bij de oncoloog, want wat ik te horen ga krijgen, of er nou een of twee eindcijfers goed zijn, of er nu sprake is van stabilisatie of dat de tumor is geslonken, wat de arts mij wederom gaat vertellen, is dat ik doodga. Dat ik niet lang meer te leven heb. En hij zal mij ook deze keer niet kunnen zeggen hoe lang ik nog kan meespelen in deze loterij.

Zomertijd

Ik lig op een ziekenhuisbed voor een CT-scan. De verpleegster frummelt aan mijn infuus om straks de contrastvloeistof in te brengen. Op het plafond zitten vlekken. Hoe komen er vlekken op het plafond in de CT-scankamer? Zijn dat vlekken van contrastvloeistof? Bloed? Lekkage van de etage erboven? (Welke afdeling zit er dan boven?) Of heeft er een patiënt moeten projectielbraken terwijl hij hier lag? Waarom staat de klok eigenlijk een uur voor? De zomertijd is toch nog niet begonnen? Nee, anders zou ik hier een uur te vroeg zijn geweest.

'Jullie klok staat al op zomertijd,' zeg ik tegen de verpleegster.

'O,' zegt ze nonchalant, 'geen enkele klok loopt hier goed, daar kijken we niet eens meer naar.'

'Maar na komend weekend staat de klok weer goed, want de zomertijd begint komend weekend,' zegt haar collega die binnenloopt.

'O, ik dacht over twee weken,' zeg ik.

'Ik hoop volgende week, want dan heb ik weekenddienst,' zegt ze lachend.

'Ik googel het zo wel even,' zegt de ander.

Het infuus zit goed, en ik word de machine in geschoven.

De contrastvloeistof loopt naar binnen en ik voel een merkwaardige warmte in mijn keel en in mijn schaamstreek. Het is de derde CT-scan in het afgelopen half jaar, dus ik weet dat het straks voelt alsof ik mijn plas laat lopen. En dat ik in mijn mond de smaak van goedkope, roze lolly's zal krijgen.

'Ademt u maar in... houd de adem vast,' klinkt het uit een speakertje.

Met ingehouden adem schuif ik langzaam weer naar buiten.

'We zijn klaar, u kunt zich weer aankleden.'

Als ik mijn bh vastmaak, steekt de verpleegster haar hoofd om de hoek en zegt: 'We hebben even gekeken...'

Ik schrik. Hebben ze al zo snel naar de scan gekeken? Dat kan toch niet? Is het goed nieuws? Laat het alsjeblieft een keer goed nieuws zijn. Of in ieder geval niet heel slecht nieuws.

'En?' vraag ik angstig.

'De zomertijd gaat komend weekend in.'

Kapper

Al zo lang ik me kan herinneren, vind ik het afschuwelijk om bij de kapper te zitten. Ik word woedend van de verplichte conversatie – ik ga tenslotte naar de kapper om geknipt te worden en niet voor een gesprek –, maar het ligt ook aan mijn haar. Al bij het wassen roept de kapper: 'Wát een bos haar!' Soms wordt er een collega bij gehaald: 'Moet je toch eens voelen wat een bos.' 'Nou zeg, inderdaad, zo dik en zo veel!' En een enkele keer worden er zelfs andere klanten bij betrokken. Ik punt mijn haar dus al jaren zelf bij, maar af en toe is er een grote onderhoudsbeurt nodig.

Vorige week was het zover en nam ik plaats bij de wasbak. Ik zette me schrap voor het wat-heb-jij-een-dik-haargesprek, maar in plaats daarvan zei de kapster: 'Het is erg droog hè, je haar.'

Hm, knikte ik. Ik moest even verwerken dat we een ander gesprek gingen hebben. En ik had niet zo'n zin om te vertellen dat die haaruitval misschien door de chemo komt.

'Ik doe er wel een crèmepje in.'

'Hm hm.'

'Niet te koud, het water?'

'Hm, nee hoor.'

'Er valt wel heel veel haar uit.'

Ik houd mezelf al weken elke ochtend voor dat de plukken in mijn borstel normale hoeveelheden zijn, al kreeg ik daar wel steeds meer twijfels over.

'Het lijkt misschien meer dan het is, omdat het zo dik is?' probeer ik hoopvol.

'Nee, het is echt wel veel hoor,' zegt ze opgewekt bezorgd.

Ik wou dat ze gewoon begon over dat mijn haar zo dik is.

'Kijk maar wat ik er uit kam.'

'Het zal wel door de chemo komen,' zeg ik geïrriteerd.

'Chemo?' zegt ze, licht geschrokken.

Als ze het crèmepje heeft uitgespoeld en zichzelf heeft hersteld vraagt ze: 'Waarvoor krijg je die chemo?'

'Ik heb alvleesklierkanker.'

Ik zit met mijn hoofd nog in de wasbak en kan haar gezicht niet zien, maar ik hóór haar vragende blik.

'Je alvleesklier is een klein orgaan midden in je buik dat insuline en maagsappen aanmaakt en iets met hormonen doet, en waar je nooit aan denkt tot een arts je vertelt dat daar een tumor zit.'

'O,' zegt ze. 'En die chemo, helpt die?'

'Het gaat me niet genezen, hoogstens wat extra maanden geven.'

In stilte verhuizen we naar de kappersstoel.

Met duim en wijsvinger wijst ze een lengte aan. 'Zoiets eraf?'

'Doe maar iets minder.'

Tantalus

Soms is ontkennen van je toestand een effectief medicijn, dus maakte ik met Valentijn een klein ommetje naar het Museumplein. Dat wil zeggen: ik sjokte naar het plein aan de hand van mijn bezorgde puber en plofte neer op het eerste vrije bankje in het zonnetje. Blij dat ik mijn sjaal had omgedaan. En een vest aanhad. Valentijn ging een softijsje halen terwijl ik vanaf mijn misselijkheidswolk toekeek hoe een groepje toeristen een frisbee overgooide. De sfeer was ontspannen, omstanders klapten bij een mooie frisbeeworp of -vangst.

Valentijn kwam met zijn ijsje naast me in de zon zitten, er werd opgetogen gelachen en gekird. Ik voelde dat ik hier gelukkig van zou moeten worden, maar het was alsof ik in een plastic cocon zat; ik zag en hoorde alles gedempt, en ik kon er niet helemaal bij.

Valentijn wilde toen hij zijn ijsje ophad wel weer terug naar huis, maar ik vond het moeilijk om op te staan. Omdat ik zo ontzettend moe was, omdat ik misselijk was, omdat mijn hoofd zo'n pijn deed, maar ook omdat ik nog even wilde blijven kijken naar het frisbeeën, luisteren naar de zomerse geluiden, nog even proberen dichterbij te komen. Het leek of ik naar een film in een onbekende taal zat te kijken, met strepen door de ondertiteling en ruis door het geluid.

We ploeterden terug, dat wil zeggen: ik ploeterde terug terwijl Valentijn geduldig langzaam naast me liep, zijn hand bezorgd in de mijne.

Wachtkamer I

In de wachtkamer. Ik voel alle energie uit me wegstromen. Ik weet niet of ik een paniekaanval ga krijgen of dat ik ga flauwvallen. In ieder geval lijkt het of ademhalen niet meer vanzelf gaat. Mijn voeten bevinden zich op een andere planeet.

Ik probeer me te concentreren op de andere mensen in de ruimte. Een ouder echtpaar, allebei verdiept in een puzzelboekje, zit tegenover ons. De twee zaten er de vorige keer ook. Ik kan niet zien wie van hen ziek is.

Op de bank in het midden, naast alle wachtkamertijdschriften, zit een vrouw. Kaal, duidelijk ziek. Paniek overspoelt me. Ik ben ook een zieke vrouw, niet kaal, niet zichtbaar ziek, maar ik zit hier niet voor de lol te wachten op de uitslag van de scan.

De arts komt de volgende patiënt ophalen. Mijn hart klopt in mijn keel, het zweet staat in mijn handen, alsof ik voor een tienkoppige examencommissie moet verschijnen. Maar de arts komt niet voor mij, hij komt voor de man die naast ons zit.

Hoe keek de arts naar ons? Keek hij bemoedigend vriendelijk? Goed-nieuws-vriendelijk, of was het meer een slecht-nieuws-vriendelijke glimlach?

Mijn mond is kurkdroog, al heb ik net werktuigelijk een slok water uit mijn flesje genomen. Ik moet mijn ogen dichtdoen om mezelf ervan te weerhouden op de grond te gaan liggen huilen. Het gevoel: dit houd ik niet lang vol, is allesoverheersend. Ik ben misselijk, draaierig.

Ik kan er best tegen om me heel rot te voelen, dat vertel ik mezelf ook, ik heb een blindedarmontsteking overleefd, een gebroken schouder zonder pijnstillers doorstaan; ik kan best tegen heel ziek zijn of heftige pijn hebben, maar zo bang als ik me nu voel hou ik niet lang vol. Dan wil ik niet verder. Niet verder leven. Daar. Zo erg is die angst. Een monster dat al mijn energie verslindt en mij als een willoze lege huls achterlaat op het moderne bankje in de wachtkamer.

Een monsterlijke angst die zich in zijn eigen staart bijt: ik ben doodsbang voor het bang-zijn.

Ik houd mijn ogen dicht, zeg mijn mantra in gedachten en zit stil naast Klaas.

Die is trouwens net zo stil als ik.

We wachten.

Onderneming

De thee en koffie schenkt hij in prachtige porseleinen kopjes met vogeltjes en draakjes erop. Midden op tafel staat een waterpijp. Veel boeken over India in de kast. Als hij de thee neerzet, wordt er aangebeld. Hij excuseert zich: even een bloemstuk aannemen. Hij loopt de kamer uit.

'Dat is nog niet voor jou, hoor,' zegt Klaas tegen me met een ongemakkelijke glimlach.

Ik schud mijn hoofd en probeer nonchalant te lachen. Lachen als je eigenlijk moet huilen is een kunst die ik nog niet volledig beheers. Ik haal het theezakje uit het kopje en leg het op het schoteltje. De draken op het schoteltje zijn van goud, en het groen van de versiering is prachtig, veel blauw en weinig geel in het groen, zodat het neigt naar aquablauw. Ik vraag me af of die kleur groen een naam heeft.

Hij komt weer binnen en gaat bij ons aan tafel zitten.

'Zo,' zegt hij en kijkt ons vragend aan.

Ik wil dapper beginnen met vertellen, maar de woorden stokken in mijn keel, ik kijk naar de mooie groene draken die wazig worden door mijn tranen. Hulpeloos draai ik me naar Klaas. Klaas vertelt hem dat ik ziek ben, en dat de prognose slecht is, en dat we wat zaken willen regelen. Hij knikt begrijpend.

Ik vecht tegen de aandrang om onbedaarlijk te gaan zitten huilen en kijk hem aan. Ik concentreer me op zijn ogen. Een slok thee dan maar, nog veel te heet natuurlijk. De brok in mijn keel is weg.

Ik vertel hem wat ik in gedachten heb, mocht het ooit zover zijn, en we stellen onze vragen. Hoe regel je dit, wat kost dat, hoe lang duurt dit, hoe gaat dat, hoeveel dragers zijn er nodig, waar kan dit en hoe regel je dat?

Als hij begint over de rol die de kinderen op zo'n dag kunnen spelen, barst ik weer in huilen uit. We maken een plan, zegt hij, en dat plan leggen we dan het liefst nog een paar jaar in de kast. Dapper glimlachend knik ik. Ja, een paar jaar de kast in met dat plan.

Met een lijstje begraafplaatsen waar we kunnen gaan kijken voor een mooi plekje vertrekken we. Dat gaan we weleens doen als het mooi zonnig weer is, en niet van dat druilerige grafweer.

Als we naar buiten stappen wordt er net nog een bloemstuk afgeleverd.

Ook niet voor mij.

Sapvasten

Jaren geleden heb ik gesapvast. Zes dagen een liter groentesap per dag drinken, en verder alleen maar water en kruidenthee. Dat was heel gezond, werd mij verzekerd.

De eerste dag was afzien, want om je lichaam op gang te helpen met ontgiften moet je een liter zuurkoolsap drinken. Het eerste glas was nog wel te doen, maar bij het derde glas namen mijn kokhalsreflexen het zonder pardon over van mijn ratio.

Zes dagen lang niet eten geeft een enorm gevoel van vrijheid en vooral: een andere kijk op de wereld. Als je niet eet, hoef je niet te koken, en als je niet hoeft te koken, hoef je geen boodschappen te doen en dat bij elkaar scheelt je per dag uren tijd. (De keerzijde was weliswaar dat ik veel meer slaap nodig had en al om tien uur lag te slapen in plaats van twee uur 's nachts.)

Als je zelf niet eet, valt pas op hoeveel mensen eten. En hoe vaak. En waar. Overal waar ik kwam werd gegeten: stukken pizza op straat, chocoladerepen in de tram, hotdogs in het park, ijsjes op tv, in boeken ging het over eten (en dan bedoel ik niet alleen kookboeken), tijdschriften stonden vol recepten en zelfs in mijn dromen kwam er zo nu en dan een maaltijd voorbij, meestal in de vorm van luchtige chocolademousse of sappige sinaasappels.

Nu heb ik dat met de dood. Overal is die. Gek word ik ervan. In de krant, in films (het lijkt wel alsof in alle familiefilms de vader of moeder doodgaat), in boeken, muziek, billboards ('Ik ben inmiddels overleden'), tijdschriften, het voorleesboek, mailtjes, advertenties.

De dood is overal waar ik ben.

Spijtig

Het is lastig om iemand tegen te komen die ik ken, maar al lange tijd niet heb gezien of gesproken. Het kan leiden tot ongemakkelijke situaties op straat, aan de telefoon, in restaurants of andere openbare gelegenheden. Ik begroet de ander, opgewekt, het is een goede dag vandaag, net lekker een uurtje op de bank gelegen, dus ik kan de wereld aan.

Er worden – indien gepast – kussen uitgewisseld.

'Wat leuk je weer te zien. Hoe gaat het?'

Hier moet ik inschatten of de ander weet van mijn diagnose en of de vraag medisch-inhoudelijk, prognosematig georiënteerd is, of dat de ander geen idee heeft en gewoon de hoe-gaat-hetfrase uitspreekt zonder een echt antwoord te verwachten.

Aan de telefoon gokte ik eens verkeerd. Geen gezichtsuitdrukking te zien en ik vermoedde dat degene die belde al een en ander had gehoord, en mij persoonlijk een hart onder de riem wilde steken. Ik barstte los over de schok, de paniek en het verdriet dat ons gezin in de greep had, over de hoop die we ondanks alles koesteren, over alles wat ik nog wilde doen en aan het doen ben, toen ik uit de steeds langere stiltes aan de andere kant van de lijn opmaakte dat de beller werkelijk geen idee had waar ik het in godsnaam over had.

'O... sorry... je weet nog niet... dat... eh... ik heb alvlees-klierkanker. Sorry.'

'Hé, wat leuk, hoe gaat het met jullie?'

In een restaurant kwam de vraag van iemand die het zeker niet wist. Nu was het zaak in te schatten of we het luchtig – 'Nou, het gaat best goed hoor, en met jou?' – zouden houden, en dan kijken op de menukaart, of dat we zouden zeggen hoe het echt met ons gaat. Alsof we dat weten trouwens, hoe het echt met ons gaat, maar dat terzijde.

Er valt veel te zeggen voor de eerste optie: dan is het snel afgelopen en kunnen we verder de kaart bekijken – Wat is het dagmenu eigenlijk? –, eten bestellen en net doen of er niets aan de hand is. En raakt er niemand van zijn à propos.

Aarzeling.

Na een korte toelichting op zijn eigen welzijn, wilde hij nog steeds weten hoe het met ons ging.

Ik schrik steeds zo van de ontzetting op de gezichten.

Nee, dat kan niet waar zijn! Kneep in mijn arm, klop op mijn schouder, schuddend hoofd van ongeloof. Mensen, wat een afschuwelijk nieuws!

Ik wil niet huilen in het restaurant, ik wil niet huilen.

Kabeljauw met groene asperges klinkt goed.

April 2012

Gewenning

Zou het wennen, het idee dat je doodgaat? De eerste weken leek het leven compleet tot stilstand te zijn gekomen en was er nauwelijks een gesprek mogelijk met vrienden en vriendinnen zonder dat iemand in huilen uitbarstte. Het hoogst haalbare was een droog gesprek, maar dan moest er zo hard gevochten worden tegen de tranen dat er niet echt een zinnig gesprek gevoerd kon worden.

Afscheidskussen werden stevige omhelzingen, stevige omhelzingen werden liefdesverklaringen en elke keer als iemand was vertrokken, had ik het gevoel dat degene die weg was dacht dat hij of zij mij waarschijnlijk nooit meer zou zien. Althans, niet in levenden lijve. En misschien dacht ik dat zelf ook wel, al had ik door mijn tranen heen geroepen: 'Als je terugkomt van vakantie ben ik er heus nog wel, hoor!'

's Avonds in bed suisden mijn oren, bonkte mijn hart alsof het een bovenmenselijke krachtsinspanning leverde en kon ik nauwelijks slikken door een brok paniek in mijn keel. Alleen een slaappil kon de denderende trein in mijn hoofd tot stilstand brengen.

Na een korte vakantie, voor het eerst in maanden weer eens alleen met zijn vijven, is er pas weer een beetje rust in ons gezin gekomen. Het zwaard van Damocles bungelt nog altijd boven ons hoofd, maar het lukt om behalve het zwaard nu ook weer andere dingen te zien. Een boek te lezen. Gewoon buiten te wandelen. Niet meer panisch mijn spullen uitzoeken, foto's inplakken en teksten sorteren voor het geval het (lees: mijn leven) plotseling over is. Nu ben ik al die dingen gewoon op een recreatief tempo aan het doen. Niet meer dramatisch bij elke gebeurtenis denken dat het waarschijnlijk de laatste keer zal zijn. Al zat ik vorige week huilend bij de jaarlijkse traditionele hoedenshow van groep 8, waar Valentijn een bijzonder fraaie zelfgemaakte iHat showde. Ik zat toch stiekem uit te rekenen hoe lang ik nog moet leven om ook nog de hoed van Swip (een jaar) en die van Lulu (vijf jaar) te kunnen zien. Straks bij de slotmusical van Valentijn is er natuurlijk helemaal geen houden meer aan.

Een van mijn beste vrienden zei me pas dat hij zijn leven ook weer een beetje heeft opgepakt. Het leven gaat verder, we moeten gewoon door. Al zei hij ook dat het idee dat ik doodga nog steeds iets is waaraan hij niet gewend raakt.

Het went eigenlijk ook helemaal niet. Het hele idee van doodgaan is een beetje naar de achtergrond geschoven. Wat went is de schrik. De scherpe randjes zijn eraf, het zoutste verdriet is uit de tranen. Maar wennen aan doodgaan, dat zal ik niet zolang ik leef.

Religie

Ik ben niet religieus, toch was ik dit weekend in een tempel en in een kerk. Zaterdag ging ik met vriendin I. naar de boeddhistische tempel op de Zeedijk. Ik verheugde me op het meditatieve moment en eerlijk gezegd ook — misschien wel vooral — op de Thaise lunch die we na ons tempelbezoek zouden krijgen.

Bij binnenkomst stonden we oog in oog met een beeld van Avalokitesvara, de wijze die vol mededogen alles waarneemt. Zo'n beschrijving vind ik al meteen ontroerend en vervult me alsnog met een grote wens religieus te zijn. Ik wil ook vol mededogen waargenomen worden.

Vriendin I. en ik besloten een rondleiding te nemen. De vriendelijke gids sprak een karakteristiek soort Chinees-Nederlands. We moesten moeite doen hem te begrijpen, maar hij glimlachte zo aandoenlijk bij de uitleg over alle bodhisattva's en bij het schilderij van Beatrix, dat we het hem niet kwalijk namen. Hij vertelde ons dat je niet doodgaat, maar dat je lichaam er alleen mee ophoudt.

Bij de rondleiding zat een meditatie van een kwartier inbegrepen. Ik was inmiddels doodmoe van het ingespannen luisteren en probeerde in kleermakerszit na te denken over de Dhamma die I. voor me gekocht had bij binnenkomst: *'Things come and go like lightning, Wheel of transmigration rolls like drifting clouds. Where is the time to discuss right or wrong?'* De enige conclusie die ik uit deze Dhamma kon trekken, was dat onze gids ook verantwoordelijk moest zijn voor de vertaling van de spreuken. Knikkebollend dacht ik ook nog na over niet-doodgaan en lichamen die ermee ophouden. Een gedachte die ik maar moeilijk van me af kon schudden en die ook thuis maar in mijn hoofd bleef cirkelen.

Vandaag kwam ik met Klaas en de kinderen langs de Krijtberg, de kerk aan het Singel. Ik had een dringende behoefte een kaarsje te branden. Terwijl ik dat deed, bij het beeld van Maria met kind, schreef Lulu in het gastenboek: 'Mag mama beter worden? Lulu.'

Dat was meedogenloos ondubbelzinnig.

Pesthumeur

Ik had me voorgenomen om van alles te genieten, van de zon, van de regen, storm, sneeuw, kou, om plezier te hebben met de kinderen, hun handen met aandacht vast te houden, naar ze te luisteren ook als ze uren doordrammen over een stom computerspelletje, met ze te lezen, met ze te zingen. Grapjes te maken. Ik wilde Klaas dagelijks in zijn ogen kijken en alle facetten bruin die daarin voorkomen in me opslaan, mindfull zijn bij alles wat ik doe, mediteren, mijn hoofd legen en ontspannen en relaxed in het leven staan (ook al blijkt het misschien maar kort), goed kauwen, zorgvuldig mailen, tijd nemen voor vriendinnen, alle tijd maken voor anderen en geen tijd spenderen aan negatieve zaken, mensen of gebeurtenissen. Niet zeuren over vieze sokken in de gang, niet mopperen over belachelijk dikke lagen chocopasta op brood, niet klagen dat niemand uit zichzelf de tafel afruimt, niet teleurgesteld zijn over het cynisme in de wereld, niet boos zijn over het lompe gedrag van mensen in het verkeer. De koude koffie op een terrasje voor lief nemen, het niet persoonlijk opvatten dat mijn puberzonen geen zoen van me willen in de klas, niet te lang wrevelig zijn als iemand een lunchafspraak is vergeten.

Het is onmogelijk.

Ik wérd me toch chagrijnig wakker. Echt een pesthumeur. Het is dat ik niet meer ongesteld word door de chemo, anders zou ik denken dat ik echt een megamenstruatie voor de boeg had. Donderwolken boven mijn hoofd. Neonborden met flikkerende pijlen BLIJF UIT HAAR BUURT en emaillen waarschuwingsplakkaten met: ONTPLOFFINGSGEVAAR! AANSPREKEN OP EIGEN RISICO.

Maar het is ook onmogelijk chagrijnig te zijn. Niet omdat ik een blije geit ben die overal om wil lachen, maar omdat ik me pijnlijk bewust ben van de tijdverspilling van chagrijnig zijn. En daar word ik dan juist nóg chagrijniger van.

Eenzaam

De laatste week voel ik me plotseling zo eenzaam. Waar ik eerst genoot van de aanloop, de pannetjes eten, de lieve kaartjes, de cadeautjes en de omhelzingen, had ik de laatste week vooral behoefte aan met rust gelaten te worden. Terwijl ik me tegelijkertijd zo alleen voelde. Geen zin om aan de telefoon weer aan iemand te vertellen wat de arts in Leuven zei, wat mijn oncoloog de laatste keer heeft verteld en al helemaal geen zin om te vertellen hoe ik me voel. Ik heb helemaal geen zin om te voelen. Ik wil dat het nu allemaal weer gewoon is.

Zelfs bij mijn psychotherapeut had ik geen zin om iets te zeggen. Ik zat daar en begon met alle gebeurtenissen van de afgelopen twee weken tot ik na een paar minuten dacht: laat ook maar. Om me vervolgens de rest van het uur asociaal, oncoöperatief en contactgestoord te voelen, terwijl ik me toch al zo ellendig voelde.

Misschien is het heel gewoon, zo'n terugval. Waar ik eerst hoopvol alles ontkende, dan weer praktisch en regelend of geestig en opgewekt was, ben ik nu ineens klein en intens eenzaam. Het zou kunnen dat het kwam door de chemovrije week. Die voelde als vakantie, spijbelen en jarig zijn tegelijkertijd, waardoor ik even dacht dat ik de wereld aankon. Dat ik het leven weer aankon. Dat ik er gewoon kon zijn en weer kon lachen zonder steeds die bittere nasmaak.

Vrijdag bij de oncoloog moest ik op de behandeltafel gaan liggen voor het wekelijkse kloppen, luisteren en voelen van alles wat er vanbinnen gebeurt, waar van buiten niets van te zien is. Toen ik mijn hoofd neerlegde, moest ik huilen. Onbedaarlijk huilen, alsof iemand de kraan had opengezet.

De oncoloog schrok, en vroeg of het kwam door iets wat hij had gezegd.

Ik schudde huilend mijn hoofd. Nee, niemand heeft iets verkeerds gezegd of gedaan. Ik voel me alleen zo verschrikkelijk eenzaam. Maar het lukte me niet om dat te zeggen.

Driftbui

Ik was een papier kwijt. Een paar papieren. Belangrijke papieren, vond ik. De eettafel lag vol met ordners, stapels, mapjes, en nog meer stapels, maar ze bleven onvindbaar.

Woest bladerde ik nog een keer de stapels door.

Ik wist zeker dat Klaas de papieren had weggegooid.

Woedend werd ik ervan.

Eerst maar eens die stapels opruimen.

'Ik begrijp niks van hoe jij dingen opbergt,' mopperde Klaas.

'Maar jij luistert ook nooit als ik het je uitleg,' mopperde ik terug.

Klaas draaide zich geïrriteerd om.

'Ja, loop maar weg, dan kun je het straks als ik dood ben allemaal lekker zelf uitzoeken!'

Klaas liep de kamer uit.

'Ik vind het stom, ik vind het allemaal stom,' riep ik hem na. 'IK VOEL ME ZO ALLEEN. IK WIL HELEMAAL NIET DOOD.' Ik stond te stampvoeten en driftig met mijn armen te zwaaien. Ik zag het mezelf doen, maar ik kon het niet stoppen. De woorden waren inmiddels overgegaan in een primitieve, rauwe brul en de tranen stroomden over mijn wangen. Het was niet echt huilen; er kwam dierlijk geluid uit mijn mond en water uit mijn ogen, maar het was te ongecontroleerd en te ongecoördineerd om huilen te heten. Hysterisch gillen komt meer in de buurt.

De stoel. Ik wilde met de stoel gooien, maar besloot ermee op de grond te slaan. Ondertussen nog altijd stampvoetend, voelde ik dat het geluid uit mijn mond langzaamaan veranderde in een huilende toon. Ik gooide de deur dicht en wierp mezelf op de grond. Wanhopig sloeg ik met mijn hoofd tegen de vloer. Dat deed pijn, maar niet genoeg om mezelf weer bij zinnen te krijgen.

Klaas zei dat ik even normaal moest doen, en dat leek mij op zich ook best een goed idee, want ik zag mezelf hysterisch doen, maar ik zat er net lekker in. Misschien is het ook wel heilzaam, zo'n woede-uitbarsting, dacht ik bij mezelf.

Het bleek vooral vermoeiend en belachelijk en tot helemaal niets te leiden. Na nog twee keer bonken op de grond ben ik naar boven gerend en heb als een overstuur aapje in bed liggen huilen.

Klaas kwam tegen me aan liggen en pas na een hele tijd konden we weer een beetje praten.

We voelen ons allebei zo alleen.

Klaas zei dat het lijkt alsof die kanker steeds meer plek inneemt en tussen ons in gaat staan. We zijn altijd heel gastvrij, maar dit is wel een heel onplezierige gast. We moeten een goede plek voor hem verzinnen, waar hij ons niet zo stoort.

De papieren bleken trouwens gewoon op mijn bureau te liggen.

Bibian, de musical

ACT I, stage I

Bibian:
Ik heb nu al weken klachten
ik kan niet langer wachten
de huisarts moet gebeld

Pas plek over vier dagen?
Het is niet te verdragen:
kan dat niet wat versneld?

Ziet u: ik slaap niet van de pijn!
Gemurmel aan de lijn
de assistente overlegt.

Over een stief kwartier
heb ik een gaatje hier:
er is een afspraak afgezegd.

ACT II, stage II

Arts:
Ik zal mijn handen even warmen.
Ik klop links; ik voel uw darmen,
maar geen bijzonderheden.
Die appendicitis met complicaties
en die twee spoedoperaties
is dat reeds lang geleden?
Behalve pijn, geen braken?
Hmm, ik kan er niets van maken

nog maar een nachtje slapen
en kijken hoe gaat.

Bibian:
Ik heb u reeds gezegd
ik slaap nu juist zo slecht
ik lig op apegapen
en straks is het te laat!

ACT III, stage III

B:
Ik was hier ook al van de week
wilt u niet nog eens kijken?
Ik ben nog altijd wat van streek
straks zal ik nog bezwijken!

A:
U bent bezorgd en ook uw man
kijkt niet bijzonder opgewekt.
We laten wel een echo maken dan
zien we of dat meer inzicht verstrekt

B: Een echo?
A: Ja een echo
B: Echo
A: Een echo
B: Echo
A: Echo
Je ziet het vaak heel slecht zo
dus beter is een echo
B: Echo

A: *Dat is wat ik zeg zo,*
echo
B: *O*

koor: car-car-car-ci-noooooom! car-car-car-ci-noooooom!
(vierstemmig)
B: *Dokter, 'k ben zo bang!*
Wat denkt u, heb ik nog lang?
A: *Het is niet te zeggen een-twee-drie*
maar vijftig haal je zeker nie!
Misschien een jaar, misschien slechts maanden
ik zie: u schrikt, ik zie uw tranen

koor: car-car-car-ci-noooooom! car-car-car-ci-noooooom!

B: *O nee, o nee, 't kan niet zo zijn!*
Ik had gewoon een beetje pijn
Ik kwam met vaag darmgezever
U vroeg wat heb je op je lever?
Ik zei: wat pijn maar u riep: vlekken!
Onrustbarende zwarte plekken!

koor: car-car-car-ci-noooooom! car-car-car-ci-noooooom!
en meta-meta-meta-staaaaaasen

Pijn I

Wakker worden van je eigen gekreun omdat je pijn hebt, is niet een goede manier om uit je slaap te komen. Eerst lichte irritatie dat iemand je wakker heeft gemaakt met geluid. Daarna lichte gêne als je tot de ontdekking komt dat je zelf dat geluid maakte. Zoals het ook weleens gebeurt dat je in de trein wakker schrikt van een gorgelend geluid en je je beschaamd realiseert, terwijl je het kwijl van je kin veegt, dat je zelf aan het snurken was. Je probeert nonchalant uit het raam te kijken – met je blik op 'bij welk station zijn we?' – en hoopt dat in godsnaam niemand je gerochel heeft gehoord. Maar het is donker. Het is nacht en ik lig in bed. Niemand die raar kijkt. Geen station in de buurt, wel kwijl op mijn wang. En ik heb pijn. Pijn die de aanleiding was voor mijn gekreun. Ik draai op mijn linkerzij. Dat is niet te doen. Een stekende pijn waardoor ik bijna niet kan ademhalen. Slaapdronken mompel ik 'au', half in de hoop dat Klaas wakker wordt en iets geruststellends zegt.

Op mijn rug liggen dan. Dat gaat beter, maar is niet pijnloos. Ademhalen gaat, zolang ik niet te diep inadem. De rechterzij is te doen. Bezorgd doezel ik weer in.

Even later word ik kreunend wakker; ik ben weer op mijn pijnlijke zij gerold. De pijn is erger geworden, en de zorgen worden groter. Is dit een nieuwe fase? Ga ik vanaf nu meer pijn krijgen? Is het de chemo die huishoudt? Of kondigt zich zo het einde aan? Moet ik toch overstappen op morfinepillen?

Verhalen van pancreaspatiënten die alleen nog zittend kunnen slapen of uitgeput raken door constant overgeven van de pijn spoken door mijn hoofd als ik weer in slaap sukkel op mijn goede zij. Ik heb enge dromen over pratende poppenhoofden en bizarre ontmoetingen op vliegvelden.

De ochtend breekt aan. De pijn is niet weg, maar lijkt iets minder. Het is alsof ik een flinke stomp in mijn maag heb gehad. Ik durf nauwelijks adem te halen uit angst pijn op te wekken. Ik probeer nonchalant te kijken en erachter te komen bij welk station ik ben.

Mei 2012

Vader

Klaas en ik waren op Bonaire, op bezoek bij mijn ouders. Valentijn lag in zijn reiswiegje en wij zaten braaf op de bank, in de frisse en toch benauwde woonkamer. De ramen mochten nergens open, want dat zou het luchtklimaat in huis verstoren. Ik zei maar niet dat we in onze slaapkamer af en toe het raam wel open hadden staan, omdat ik de geur van warme, zonnige zeelucht juist zo fijn vind en die verreweg prefereer boven koele, smakeloze aircolucht.

Mijn vader zat moe in zijn fauteuil. Het was een soort troon, die fauteuil. Volstrekt ondenkbaar dat iemand anders daarin zou plaatsnemen. En zoals gezegd, wij zaten dus braaf op de bank. Hij zuchtte lusteloos. Mijn vader vond het wel mooi geweest, zei hij. Wat bedoelde hij? Moesten we naar bed? Had hij genoeg van ons gezelschap? Wilde hij zelf slapen? Maar nee, hij bedoelde in het algemeen. Het leven. Hij vond het wel mooi geweest, zijn leven. Hij had geen wensen meer, hij had alles gedaan wat hij wilde.

Een van de moeilijkste dingen in het leven, vind ik, is om te accepteren dat andere mensen andere wensen, principes of motieven hebben. Ik doe mijn best iedereen te begrijpen en andermans ideeën te respecteren, ook als die lijnrecht tegenover de mijne staan. Ik vind het bijvoorbeeld vreemd dat mensen die principieel tegen trouwen zijn, wel bij de notaris samenleefcontracten laten opstellen, de voogdijschap regelen en inboedellijsten maken, terwijl dat in mijn ogen nu juist zo handig is van een ouderwets huwelijk. En dat kun je ook heel goed klein en bescheiden doen, weet ik uit ervaring, en dan heb je alles in één keer goed geregeld. Maar dat zeg ik dan weer niet, omdat ik vind dat mensen het op hun manier moeten doen.

Maar dat het wel mooi is geweest met het leven als je net vijftig bent, verbijsterde me. Ik probeerde iets verontwaardigds te zeggen en tegelijkertijd respect te tonen voor deze volslagen onbegrijpelijke, belachelijke en in mijn ogen bijna misdadige uitspraak. Dat viel niet mee, en ik kwam eerlijk gezegd niet verder dan mijn mond openen, weer sluiten, nog een keer openen en weer sluiten, wat behalve een minieme verandering in de luchtcirculatie niets opleverde.

Klaas vroeg of er dan geen dingen meer waren die hij wilde doen, plaatsen die hij wilde zien. Nee, die waren er niet. Hij had gedaan wat hij wilde. Hij had geld verdiend, hij had gereisd, hij woonde op een zonnig eiland. Hij was klaar.

Ik werd plaatsvervangend ongelukkig van die gedachte.

Valentijn wilde drinken en ik legde hem aan de borst. Ik dacht aan alle dingen die ik zelf nog wilde doen, die ik nog móést doen. Ik dacht aan de tijd die voorbijvloog, terwijl ik toen nog zeeën van tijd leek te hebben. Ik keek naar Valentijn die gulzig dronk. Ik keek naar mijn vader die moe in zijn fauteuil zat.

De dag waarop ik dit schrijf zou mijn vader 65 zijn geworden.

Pijn II

Tot mijn grote schrik lees ik steeds meer over verontrustende eindscenario's, zoals cachexie. Uitgemergeld aan je eind komen. Ik vroeg aan mijn oncoloog of dat de weg is die mij te wachten staat. Ik word een beetje nerveus van al die vragen waar niemand me een antwoord op kan geven, laat staan een geruststellend antwoord. Maar soms moet ik het toch vragen. Hoe lang, hoe vaak, hoe erg.

Natuurlijk antwoordde hij dat niets zeker is, maar dat het bij pancreaskanker wel een denkbaar scenario is. Ik zei dat ik zo opzie tegen het einde. Hij vroeg waar ik precies bang voor ben. Ik dacht even na, maar omdat ik bang was in huilen uit te barsten en omdat ik niets beters kon verzinnen, zei ik: 'Pijn.'

Het hielp ook dat dit heel concreet was, omdat ik pijn voelde in mijn buik. Vervolgens ging ik alsnog zitten huilen.

Qua fysieke pijn kon hij me geruststellen met een goed pijnteam in het vooruitzicht, een pijnpoli, een heuse hoogleraar pijn, morfineachtige medicatie en blokkades van de plexus; over pijn moest ik me misschien niet al te druk maken. Nu.

Maar mijn angst is veel meer omvattend dan fysieke pijn.

Ik ben er bang voor om met grote angstige ogen in bed te liggen, te slap en te moe om iets te kunnen doen of zeggen. Broodmager. Ik ben bang om gevangen te zitten in een lijf dat niet meer wil. Ik ben bang om mijn levenslust te verliezen, bang om steeds meer te moeten slapen, moe te zijn, weg te drijven, af te haken. Bang voor slangetjes in mijn lijf, bang voor slapen in mijn eentje.

Bang om misselijk te zijn, bang om toch veel pijn te hebben, bang om geen pijn te hebben want dan ben ik misschien al half aan het doodgaan, bang om van alles te missen in de rest van het huis als ik in bed lig, bang om gek te worden van verdriet dat de wereld gewoon doordraait en alles gewoon verdergaat. Bang dat mijn hart breekt als ik de kinderen in de andere kamer roep en ze mij niet horen.

Bang dat ik chagrijnig word van pijn en ellende en alleen nog maar onaardig doe tegen iedereen. En dat niemand me dan meer lief vindt.

Bang dat ik dat niet kan, terminaal ziek zijn. Bang dat ik dan heel hard wil gillen en schreeuwen, en schoppen en krabben, maar er de kracht niet voor heb.

Gewoon zo bang dat het pijn doet.

Dat bedoelde ik eigenlijk met 'pijn'.

Huilbuien

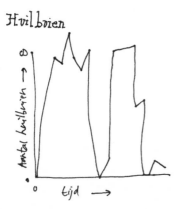

Aantal huilbuien → ∞

tijd →

Hoop

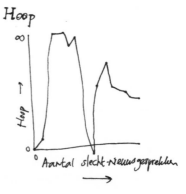

Hoop → ∞

Aantal slecht-nieuwsgesprekken →

Bloemen

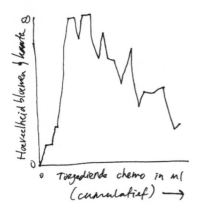

Hoeveelheid bloemen & kaarten → ∞

Toegediende chemo in ml (cumulatief) →

Geluk

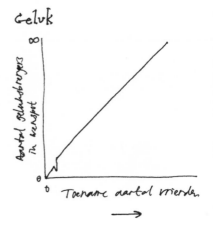

Aantal gelukbrengers in kraspot → ∞

Toename aantal vrienden →

Brug

Vandaag lag ik te mediteren. Ik probeerde mijn hoofd te legen, de pijn weg te denken. Het kostte moeite. Flarden van mijn leven bleven door mijn hoofd schieten. Ik associeerde steeds verder weg van mijn mantra.

Een zwarte hond in het zuiden van Spanje, die altijd vrolijk stond te kwispelen als wij de camping weer op kwamen. Mijn Ierse setter Misty, die tennisballen opspoorde die ik voor hem verstopte. Verse sinaasappels eten in de zon tijdens een wandeling op de Pico de Urbion. Churros eten bij het krakkemikkige kraampje in het schilderachtige witte dorpje in Andalusië. Keihard 'No One Knows' draaien in ons busje terwijl we tussen de dorre velden met olijfbomen door reden. Het brede strand op Famara waar niemand was en we ongestoord in de duinen konden liggen. Zout en zand. Wind. De brug naar het KNSM-eiland.

Voor we onze eigen oefenruimte hadden, hebben we jarenlang met ons bandje gerepeteerd in een oefenruimtecomplex. Zo'n plek waar je in blokken van drie uur een ruimte met spullen huurt.

Het was op het KNSM-eiland, een heel eind fietsen vanaf ons huis. Met een basgitaar op mijn rug, tassen vol teksten en akkoordenschema's, effecten en snoeren aan het stuur, op de fiets door de stad en dan de brug over naar het KNSM-eiland. Het waaide altijd hard op die brug en meestal regende het ook nog. Honderd keer, tweehonderd keer... Zo vaak heb ik over die brug gefietst op weg naar of van een repetitie.

Ik probeerde me weer te concentreren op mijn mantra.

Maar daar was de brug weer. Ik werd zo verdrietig van de gedachte aan die brug. Al die keren dat ik over die brug heb geploeterd, moe van de zware bepakking, tegenwind, kou.

Ik probeerde te focussen op mijn mantra; ik zei hem luider, probeerde me groot te houden, maar ik liet me niet voor de gek houden: de woorden werden onduidelijker, zachter, gesmoord door snikken.

De brug naar het KNSM-eiland. Is het allemaal zinloos geweest?

Vreemd bed

Vrijdag was er een bruiloftsfeest bij vrienden thuis. Heel lief vertelden ze me dat ze een bed hadden opgemaakt zodat ik tussendoor even een uurtje kon slapen. Als ik dat wilde.

Ik wuifde het aanbod aanvankelijk nonchalant weg, maar na de prosecco en de bruidstaart, en ruim voor het diner zou beginnen, lag ik opeens toch in het bed tussen knisperende lakens en hoorde ik de geluiden van buiten langzaam wegzweven. Een lome slaap kwam over me, en het voelde zo vertrouwd, in iemand anders' bed te liggen. Als je als enig kind opgroeit, breng je heel wat tijd door in vreemde bedden. Bij etentjes werd ik vaak in Het Grote Bed van het gastechtpaar gelegd.

Ik vond het heerlijk, weg uit de rokerige, saaie grotemensenruimte en in een vreemde, koele slaapkamer. Zo vaak kom je als kind niet in vreemde slaapkamers – en als volwassene trouwens ook niet – en ik vond het tegelijkertijd eng en leuk om alleen te liggen in een schemerige ruimte, met in de verte gedempte geluiden.

Een onbekend bed met vreemde geurtjes. De beste slaapkamers waren de slaapkamers waar parfumflesjes en potjes op het nachtkastje stonden, waar ik dan heel stilletjes aan kon ruiken. Soms lag er een pyjama onder een van de kussens. *Een vlucht regenwulpen* op het nachtkastje. Onder het bed stonden pantoffels, soms lagen er halters en een enkele keer lag er een catalogus met artikelen waarvan ik werkelijk geen idee had wat je ermee zou moeten doen.

De verscheidenheid aan klokken en wekkers in slaapkamers was groot. In sommige slaapkamers stond op ieder nachtkastje een eigen wekker, een reiswekkertje dat je kon uitklappen tot een soort driehoekje, en in andere slaapkamers stond een opdringerig tikkende wekker met wijzers met groene uiteinden die licht gaven in het donker.

Mooi vond ik de ronde oranje wekker met vier witte cijfers op zwarte lamellen. De cijfers klapten in het midden om. Al voor de minuut om was, begon de klok aanstalten te maken om het bovenste gedeelte van het rechtercijfer om te klappen. Gefascineerd lag ik naar de wekker te kijken.

Krrrrrrr klik 22:21.

Krrrrrrr klik 22:22. Dat was het mooiste tijdstip, daar keek ik naar uit, al was de allermooiste overgang krrrrrrrr krrrrrrr rrrrrr klik klik klik klik naar 00:00.

Het begin van een nieuwe dag, in een vreemd bed. Maar meestal sliep ik dan al.

Mijn iPhone gaf een signaal dat het zeven uur was. Tijd om mijn pillen in te nemen. En tijd om een beetje slaapdronken terug te keren naar het grotemensenfeest.

Liefdesverklaring

Haar laatste bezoek is vier maanden geleden.

Uit voorzorg had ik bij de apotheek nieuwe migrainepillen gehaald. Ik had me mentaal voorbereid op een zware middag, dus het kon eigenlijk alleen maar meevallen. En erger dan de bijwerkingen van een stevige chemo kan zo'n middag toch niet zijn, leek me.

Het eerste half uur was het nog quasigezellig, koetjes en kalfjes. Ik kreeg fruit, de kinderen krasloten. Klaas had taart gehaald, maar ze wilde geen taart, en ook geen koffie of thee trouwens. Dat maakte het bezoek een beetje ongemakkelijk.

We keken naar de muziekschoolrapporten van Lulu (uitsluitend zeer-goedjes) en Swip (geen cijfers, maar wel de vermelding dat hij zeer muzikaal is, en ook lief en geïnteresseerd, maar dat hij niets doet. Maar dan anders geformuleerd).

Toen ik even met haar alleen aan tafel zat, vertelde ik haar dat ik die week bij een vermaarde familietherapeute was geweest. Om te praten over mijn relatie met haar. Ik heb een paar sessies met die therapeute van iemand cadeau gekregen. De therapeute heeft een positieve aanpak; familie is je grootste goed, filter uit al het lelijks en akeligs wat gezegd wordt de pareltjes. Dus uit het woedende telefoongesprek twee weken voor haar bezoek – in feite één doorlopend verwijt aan mijn adres (hoe durf ik dood te gaan!) – was haar boze, kribbige opmerking dat 'ik best mocht weten dat ze iedere minuut aan me dacht' een 'pareltje' volgens de therapeute. Een liefdesverklaring.

Zo voelde die opmerking niet; ik vroeg me vooral af waarom mijn moeder als ze toch zo vaak aan me dacht me dan niet wat vaker belde, maar misschien zie ik de wereld te simplistisch.

De familietherapeute zei – bijna handenwrijvend bij het vooruitzicht – dat ik mijn moeder mocht meenemen naar de volgende sessie. Dat leek me wat hooggegrepen, maar mensen zijn erg welwillend tegenover ongeneeslijk zieken heb ik gemerkt, dus ik dacht: komaan, ik vraag het haar gewoon.

Bij de laatste lettergreep van het woord familietherapeute snauwde mijn moeder al pinnig 'nee'. En toen ik mijn vraag had toegelicht – ik wil niet in mijn laatste maanden zoveel wrok in onze relatie hebben – stond ze op om haar jas te pakken. Met haar jas aan sleepte ze me nog mee in een onduide-lijk welles-nietesspelletje over vroeger, en Valentijn en Swip, die in de kamer ademloos stonden te luisteren, zeiden later, diep onder de indruk, dat het wel dissen leek, alsof we rappers waren.

Met een klap smeet ze de deur achter zich dicht, mij enigs-zins verbouwereerd achterlatend. Maar ook weer niet zo heel erg, want ik ben inmiddels wel wat gewend. Eelt op je ziel, heet dat geloof ik.

Ik denk dat het het beste is als ik er geen tijd in steek. Maar ik vraag me ook af hoe je dat het beste doet, ergens geen tijd in steken.

Vakantie

De afgelopen drie weken waren heerlijk, ook al was er weinig zon en veel te veel regen.

Maar nu staan de tassen klaar om in ons busje geladen te worden.

Het is tijd om naar huis te gaan. Klaas en ik hebben vijf nummers opgenomen, twee filmpjes gemaakt en twee nieuwe nummers geschreven. We hebben gewandeld en gefietst met de kinderen, we zijn in een speeltuin geweest en hebben zelfs een soort van gezwommen in een afschuwelijk koud meertje hier in de buurt. We zijn uit eten geweest en we hebben Ant-werpen bezocht. In de tuin gezeten, in bad gedobberd, voor de haard gebivakkeerd.

We zijn op een bruiloft geweest, en er is een filmploeg langs geweest die een documentaire over ons maakt. Soms was er opeens ontnuchterende buikpijn of verdriet. Zomaar, uit het niets.

We hebben Swips verjaardag gevierd, we hebben een paar

keer bezoek gehad, we hebben zelf gekookt en veel taarten gebakken. Ik heb Valentijn en Lulu geleerd hoe je een chocoladetaart moet bakken: ze moesten de ingrediënten (pure chocolade, boter, suiker en eieren, snufje zout), de hoeveelheden (alle verhoudingen 1:1:1:1) en de bereidingswijze steeds herhalen (boter en chocolade smelten, eidooiers en suiker kloppen, alles door elkaar heen en dan de stijfgeslagen eiwitten erdoor spatelen), zodat ik zeker wist dat ze het echt zouden onthouden. Kleine overhoring toen de taart een half uurtje in de voorverwarmde oven op 175 graden stond. Ieder mens behoort tenslotte een goed chocoladetaartrecept te hebben. Dat komt altijd van pas in je leven. Als het niet is om iets vrolijks te vieren of iemands hart te veroveren, dan wel om het verdriet van je eigen gebroken hart te verzachten of andere ellende en rampspoed even te vergeten. Of gewoon zomaar: niks mis met chocoladetaart op een doordeweekse dag zonder aanwijsbare reden.

Ik zou eeuwig willen blijven, een permanent onderduikadres, ver weg van alles. Ver weg van ziekenhuizen, dokters, mensen, chemo en de koude werkelijkheid.

Nog een kopje thee en dan moeten we weer terug naar ons gewone leven, dat niet meer ons gewone leven is en dat ook nooit meer zal worden. Ik zou zo graag nog even willen blijven.

Cadeau

Kanker is een cadeau. Dat stond op een poster in een Amerikaanse tv-serie. Het stond er niet in het Nederlands natuurlijk, maar er stond CANCER IS A GIFT. Deze poster hing in een lokaal waar een praatgroep voor mensen met kanker in een kring bij elkaar zat.

Kanker is een cadeau.

De mensen van de praatgroep hadden zichzelf en elkaar wijsgemaakt dat kanker iets goeds was wat ze was overkomen. Want hierdoor hadden ze mooie inzichten in het leven gekregen. Dat kan ik bevestigen. Prioriteiten in het leven worden glashelder, en het groen van ontluikende blaadjes lijkt nu nog groener en frisser. Als je kanker hebt en weet dat je vermoedelijk binnenkort doodgaat – en ik zeg met nadruk vermoedelijk –, komen alle indrukken intens en in hun puurste vorm binnen. Kanker maakt dat je geniet van het leven – zo lang het nog duurt –, dat je onbevangener houdt van mensen van wie je al hield, en dat je iedere dag als een geschenk beschouwt. Dat is waar.

Ik heb nog nooit zoveel cadeaus uitgepakt als het afgelopen half jaar. Glanzend papier van boeken gescheurd, bloemetjespapier van kristallen engeltjes getrokken, strikken van juwelendoosjes afgehaald met klavertjevierketting of -oorbellen. Ontroerd wikkels van chocoladerepen en bonbondoosjes geschoven, lachend het transparante folie van badschuim of zeepjes gehaald en cd's uit knisperend cadeaupapier gehaald.

Het voelt bijna alsof ik al een half jaar non-stop jarig ben. Een feest van onbevangen liefde, vrolijke slingers, cadeaus en genieten geblazen. De chemo, bijwerkingen, paniekaanvallen, ziekenhuisbezoeken, pijn, pijnstillers, verdriet, woede, huilbuien, doodsangst en andere ellende even buiten beschouwing gelaten.

Kanker is een cadeau. Ik weet niet van wie dit prachtige kankercadeau afkomstig is, maar als diegene het bonnetje nog heeft...

Ontboezeming

Als je ongeneeslijk ziek bent, zijn mensen soms onverwacht openhartig. Onlangs deed iemand die mij interviewde over mijn blog, muziek en ziekte mij allerlei intieme ontboezemingen waar ik helemaal niet op zat te wachten.

We hadden ongeveer drie minuten ervoor kennisgemaakt toen hij vertelde dat hij vader ging worden van een tweede kind. Ik zat me nog af te vragen of hij iets geels had gegeten, of dat hij permanente aanslag op zijn voortanden had, dingen die je je wel vaker afvraagt als je iemand net hebt ontmoet.

Het was nog heel pril, nog maar zeven weken dus ik mocht niets verder vertellen.

Meestal is zwangerschapsnieuws een heugelijke mededeling, maar in dit geval vond ik het best onsmakelijke informatie omdat ik de voor-de-tweede-keer-aankomende-vader aangekleed al redelijk onaantrekkelijk vond. De gedachte aan deze man naakt in de buurt van een vrouw met als doel kindertjes maken vond ik zonder enige twijfel in de categorie TMI vallen.

De huwelijkse perikelen en gebruikte standjes bleven me gelukkig bespaard, maar er kwam nog meer. Als hij voor de tweede keer vader was geworden, 'jahaa, ik ga er maar even van uit dat het gewoon goed gaat met die tweede, haha,' zei hij er betrapt lachend bij... Al konden het er natuurlijk ook twee zijn, want tweelingen kwamen heel veel voor in zijn familie, vertrouwde hij me toe terwijl hij naar buiten keek.

Ik probeerde me uit alle macht te concentreren op de muntblaadjes in het glas voor me om visioenen van een kamer vol onaantrekkelijke tweelingen uit mijn gedachten te bannen.

Maar als dat tweede kind er was... dan ging hij er een knoop in leggen.

Eerst dacht ik nog even aan een knoop in het kind, maar

toen de volle intimiteit van de mededeling tot me door was gedrongen, had ik geen zin meer in mijn muntthee en keek ik hem gechoqueerd aan.

'Ja, haha, dat kan ik wel tegen jou zeggen, zulke persoonlijke bekentenissen,' zei hij geruststellend, 'want ik zie jou toch nooit meer, haha.'

Wachtkamer II

De oncoloog vond het zorgelijk, de pijntoename van de afgelopen week; twee heel slechte dagen en dat in combinatie met verhoogde leverwaarden in mijn bloed. Hij kon eigenlijk niet veel anders verzinnen dan dat de tumor moest zijn gegroeid.

Met tranen in mijn ogen keek ik naar het schermpje waarop mijn bloeduitslag te lezen was, en stemde in met zijn voorstel om zo snel mogelijk een CT-scan te laten doen. Ik probeerde nog opgewekt: 'Nou ja, in ieder geval geen chemo dus vandaag,' maar niemand moest er erg om lachen.

Ik kon meteen terecht voor een scan en nog geen twee uur later zaten we weer in de wachtkamer van de oncoloog tot hij de uitslag binnen had.

Er kwam een man alleen de wachtkamer binnen. Hij meldde zich bij de receptie. Hij kwam ook voor 'mijn' oncoloog. Zijn vader was patiënt geweest en hij wilde de oncoloog even dag komen zeggen en bedanken. Hij vertelde aan de receptioniste dat zijn vader een paar weken geleden was overleden.

Dit leek mij een ongunstig voorteken, en zenuwachtig greep ik een tijdschrift uit de stapel achter me.

Hij zei dat zijn vader rustig en met relatief weinig pijn was gegaan.

Mijn maag kneep zich samen. Gegaan? Waarheen? En hoezo relatief weinig pijn? Ik wil helemaal geen pijn!

Juni 2012

Vergelijkend warenonderzoek

Ik lig in bed met buikpijn en vroeg me af of buikpijn erger is dan migraine. Je moet je dit soort dingen ook niet afvragen, dat is vragen om problemen.

Het is me al eerder opgevallen dat zodra ik denk: al lang geen migraine gehad, er prompt een aanval komt. Zou dat komen doordat de aanval al ondergronds begonnen is maar nog niet helemaal doorgebroken, of roep je een aanval over je af door eraan te denken?

Mijn gedachten over migraine worden onderbroken door de pijn in mijn buik die ik probeer te benoemen. Branderig alsof ik pure alcohol in mijn lever gegoten heb gekregen, stekend en knagend ter hoogte van mijn navel alsof er een beest uit mijn binnenste naar buiten probeert te graven, en een zeurend, uitstralend gevoel in mijn rug alsof ik dagen heb gestaan.

Een combinatie van die drie. Misselijk. Mijn buik voelt opgeblazen. Ik weet niet of ik wil liggen of zitten. Of juist een stukje lopen.

En wat is dat? Hoofdpijn?

Daar komt een migraineaanval aan. Het voorzichtige priemen in mijn linkeroog zal spoedig overgaan in een gemeen stekende pijn, alsof iemand een dolk in mijn oog ronddraait.

Pilletje.

Ik strompel naar de badkamer op zoek naar de pillen.

Liggen.

Zitten.

Op de grond liggen.

Over het bed hangen.

Zachtjes snikken.

Liggen.

Ik probeer me over te leveren aan de pijn, geen verzet te plegen, maar het lukt niet.

Onder de douche zitten. De douchestralen trommelen geruststellend op mijn hoofd maar de pijn gaat niet weg.

Even later lig ik rillerig in bed. Een beetje treurig bedenk ik dat ik nu heel goed vergelijkend warenonderzoek kan doen over wat erger is: hoofdpijn of buikpijn. Maar dan moet ik opeens overgeven en zijn alle analyserende gedachten weer verdwenen.

Paars gordijn

Er zijn te veel geluiden om me heen in de ziekenhuiskamer. Het geluid van de televisie die door de koptelefoon van mijn buurvrouw schalt. De buurman die op de gang te hard en te snel praat met de verpleegkundige en de hele tijd moet lachen om zijn eigen grapjes. Ik versta er niets van. Niets van de gesprekken, niets van de televisie. Ik kan niet focussen.

Iemand vertelde me ooit dat als je je wilt afsluiten, je een paars gordijn moet visualiseren dat je dichttrekt om je heen. Ik weet niet meer wie het me vertelde, ook niet meer waarom het een paars gordijn moet zijn; dat ligt voor een groot deel aan de morfine — ik vergeet de hele tijd van alles.

Vanochtend vroeg moest ik me melden voor opname. Trillend op mijn benen van de honger, want ik moest nuchter zijn voor de echo van mijn bovenbuik, maakte ik kennis met mijn tijdelijke kamergenoot.

Wat een genot dat Klaas er steeds bij is, dat hij de honneurs waarneemt en een gesprekje voert namens ons. Ik had mijn paarse gordijntje al dichtgetrokken en geen zin om te praten of te vertellen over mijn eigen lot, noch om het levensverhaal van iemand anders in verkorte versie voorgeschoteld te krijgen.

Mijn buurvrouw wilde het gordijn tussen onze bedden dicht voor wat privacy, voor mij was dat rustiger, zei ze. Ik stemde in, vooral omdat ik vermoedde dat ze eigenlijk zelf behoefte had aan privacy. Klaas schoof het gele gordijn half dicht, maar het gele noch het paarse gordijn kon de intieme geluiden helemaal buitensluiten. Snuiven, gorgelen, kreunen, scheten laten. Dat vind ik in familiekring op de grens van het acceptabele, maar van wildvreemden vind ik het onverdraaglijk.

Ik wil thuis zijn. Thuis ziek zijn. Thuis ongegeneerd kunnen kreunen, rochelen, scheten laten, hoesten en wanhopig huilen. Thuis, waar je geen paarse gordijn nodig hebt.

Schelp

Toen ik een jaar of acht was had ik een heel mooie, grote schelp. Een hoorn die van een ver tropisch strand kwam, met een exotisch uiterlijk, afgeronde stekels en heel mooie kleuren variërend van witroze tot zwartbruin.

Als je hem tegen je oor hield hoorde je het ruisen van je hartslag, maar ik durfde hem niet zomaar te pakken; ik was bang dat hij zou vallen en stuk zou gaan. Meestal lag hij dus onaangeroerd op een plank in mijn kast, mooi te zijn. Soms pakte een vriendje of vriendinnetje dat kwam spelen hem wel eens op en dan zei ik: 'Voorzichtig hoor' of 'Pas op dat-ie niet valt'.

Op een dag, toen ik me uitkleedde en ondertussen iets uit de kast wilde pakken – multitasken zat er al jong in –, viel de schelp met de smalle punt naar beneden uit de kast.

Ik was me heel bewust van de pijn. Een scherpe, heftige pijn. De grote zware schelp was recht op mijn grote teen gevallen, vlak boven het gewrichtje. De schelp was niet stuk zag ik tot mijn opluchting, maar dat maakte de pijn niet minder.

Ik besloot om niet te huilen. Behalve van de pijn, was ik me ook heel bewust van mijn keuze om niet te huilen. Ik realiseerde me dat ik voor het eerst in mijn leven niet zou huilen om iets dat zoveel pijn deed.

Ik beet op mijn onderlip en keek naar mijn teen, naar de wond die hevig bloedde.

Hinkelend ging ik naar mijn moeder, die een pleister op de wond deed. Ze was niet onder de indruk dat ik niet huilde. Het maakte misschien zelfs dat ze mijn verwonding niet erg serieus nam. Ik zei helemaal niets, daarvoor had ik te veel pijn.

Mijn teen deed nog dagenlang pijn, maar ik voelde me wel heel groot. Ik was gegroeid, zo leek het, volwassener geworden. Grote mensen huilen tenslotte niet om alles wat hun pijn doet. Ik kon pijn hebben en niet huilen als een klein kind.

Ik heb nog altijd een litteken op mijn rechter grote teen, van die ene keer dat ik besloot niet te huilen.

Morgen

Morgen gaat het vast wel beter.
Morgen voel ik me minder moe.
Morgen.

was. Dat het leven de moeite waard was zolang zij er maar was.

Alles wat zij oppakte wist ze zich eigen te maken en zin te geven. Schijnbaar achteloos leerde ze bassen, zingen, liedjes schrijven, grafisch vormgeven, koken op hoog niveau, leidde ze een platenlabel en een stichting en was ze daarnaast de liefst denkbare moeder en echtgenote.

Ze maakte haar leven zo overvol dat er voor haar 'eigenlijke' en misschien wel grootste talent nauwelijks ruimte overbleef. Schrijven. Ze deed het wel, maar alleen in verloren uurtjes en ze maakte zelden iets af. Hoe ik haar ook probeerde te overtuigen van haar talent en de noodzaak dat verder te ontwikkelen, ze deed er niets mee. Een half filmscript, een onaf kinderboek, eindeloze opzetten en fragmenten en vele pagina's dagboeknotities.

Vooral uit oudere dagboeken kwam een heel wat minder vrolijk en zelfverzekerd meisje naar voren. Eenzaam, onbegrepen en vooral grenzeloos onzeker.

Er was uiteindelijk een oncoloog voor nodig om haar aan het schrijven te krijgen.

Klaas ten Holt

Morgen kan ik weer wat schrijven, weer iets doen.
Nu ben ik alleen maar zo moe, zo moe.

Op mijn linkerzij gaat wel, maar liggend op mijn rechterzij is niet te doen. Op mijn rug is zo saai. En links heb ik weer zo'n pijn aan mijn schouder. Het blijft behelpen.

Soms schiet ik badend in het zweet rechtovereind, verward uit een diepe droom ontwakend.
Meestal een nachtmerrie. Kun je wakker worden uit een nachtmerrie die maar doorgaat?

Ik neem een slok water, iemand dept mijn gezicht met een washandje.
Ik vertel van alles, heb een heel gesprek, maar aan wat de ander antwoordt, begrijp ik dat ik niets heb gezegd. Ik lig alweer half te slapen en drijf weg, ver weg, ver weg. Denk na over wat ik nog wil zeggen, over alles wat ik nog moet doen.

Het lijkt wel of ik wacht.
Tot ik morgen uitgeslapen ben en weer mijn eigen dingen kan gaan doen.

Morgen gaat het vast wel beter.
Morgen voel ik me minder moe.
Morgen.

Nawoord

Op een buitenpodium in Hoofddorp speelde een bandj[e]
de muziekschool. Het was niet de muziek die mijn aan[dacht]
trok, maar de bassiste. Ze droeg een brutaal rond brillet[je en]
had een beugel. Ze zong vrolijk en gepassioneerd 'Plain[...]
alsof het haar eigen liedje was. Na afloop raadde ik haa[r]
vooral door te gaan met muziek maken. Ik heb er nan[...]
verstand van.

Een paar jaar later zag ik haar opnieuw in Café de P[...]
Amsterdam. Ze bleek om de hoek op de Frederik Muller[aca]
demie te studeren en ja, ze speelde nog steeds basgitaar i[n een]
meidenband.

In het café werd op dat moment de legendarische [band]
The Dead Motherfuckers opgericht waarvoor ik als gi[tarist]
was gevraagd. We hadden nog een bassist nodig en ik s[ugge]
reerde dat meisje met dat ronde brilletje.

Zij en ik bleken muzikaal aan elkaar gewaagd en nam[en]
snel de band over. De naam werd veranderd in Emma[...]
Zeventien jaar en vele bezettingswijzigingen later besto[nd de]
band nog altijd én waren Bibian en ik getrouwd en de [trotse]
ouders van drie kinderen.

Plezier, passie en levenslust waren kenmerkend voor B[...]
In haar buurt had je altijd het gevoel dat er 'wat aan de [...]

203

Morgen kan ik weer wat schrijven, weer iets doen.

Nu ben ik alleen maar zo moe, zo moe.

Op mijn linkerzij gaat wel, maar liggend op mijn rechterzij is niet te doen. Op mijn rug is zo saai. En links heb ik weer zo'n pijn aan mijn schouder. Het blijft behelpen.

Soms schiet ik badend in het zweet rechtovereind, verward uit een diepe droom ontwakend.

Meestal een nachtmerrie. Kun je wakker worden uit een nachtmerrie die maar doorgaat?

Ik neem een slok water, iemand dept mijn gezicht met een washandje.

Ik vertel van alles, heb een heel gesprek, maar aan wat de ander antwoordt, begrijp ik dat ik niets heb gezegd. Ik lig alweer half te slapen en drijf weg, ver weg, ver weg. Denk na over wat ik nog wil zeggen, over alles wat ik nog moet doen.

Het lijkt wel of ik wacht.

Tot ik morgen uitgeslapen ben en weer mijn eigen dingen kan gaan doen.

Morgen gaat het vast wel beter.

Morgen voel ik me minder moe.

Morgen.

Nawoord

Op een buitenpodium in Hoofddorp speelde een bandje van de muziekschool. Het was niet de muziek die mijn aandacht trok, maar de bassiste. Ze droeg een brutaal rond brilletje en had een beugel. Ze zong vrolijk en gepassioneerd 'Plain Jane' alsof het haar eigen liedje was. Na afloop raadde ik haar aan vooral door te gaan met muziek maken. Ik heb er namelijk verstand van.

Een paar jaar later zag ik haar opnieuw in Café de Pels in Amsterdam. Ze bleek om de hoek op de Frederik Muller Academie te studeren en ja, ze speelde nog steeds basgitaar in een meidenband.

In het café werd op dat moment de legendarische band The Dead Motherfuckers opgericht waarvoor ik als gitarist was gevraagd. We hadden nog een bassist nodig en ik suggereerde dat meisje met dat ronde brilletje.

Zij en ik bleken muzikaal aan elkaar gewaagd en namen al snel de band over. De naam werd veranderd in Emma Peel. Zeventien jaar en vele bezettingswijzigingen later bestond de band nog altijd en waren Bibian en ik getrouwd en de trotse ouders van drie kinderen.

Plezier, passie en levenslust waren kenmerkend voor Bibian. In haar buurt had je altijd het gevoel dat er 'wat aan de hand' was. Dat het leven de moeite waard was zolang zij er maar was.

Alles wat zij oppakte wist ze zich eigen te maken en zin te geven. Schijnbaar achteloos leerde ze bassen, zingen, liedjes schrijven, grafisch vormgeven, koken op hoog niveau, leidde ze een platenlabel en een stichting en was ze daarnaast de liefst denkbare moeder en echtgenote.

Ze maakte haar leven zo overvol dat er voor haar 'eigenlijke' en misschien wel grootste talent nauwelijks ruimte overbleef. Schrijven. Ze deed het wel, maar alleen in verloren uurtjes en ze maakte zelden iets af. Hoe ik haar ook probeerde te overtuigen van haar talent en de noodzaak dat verder te ontwikkelen, ze deed er niets mee. Een half filmscript, een onaf kinderboek, eindeloze opzetten en fragmenten en vele pagina's dagboeknotities.

Vooral uit oudere dagboeken kwam een heel wat minder vrolijk en zelfverzekerd meisje naar voren. Eenzaam, onbegrepen en vooral grenzeloos onzeker.

Er was uiteindelijk een oncoloog voor nodig om haar aan het schrijven te krijgen.

Klaas ten Holt